DOC
928.41
R926L

D1621782

29.95

DU MÊME AUTEUR

Romans

L'ABYSSIN, *Gallimard*, 1997. Prix Goncourt du Premier Roman 1997 — Prix Méditerranée 1997 (« Folio », n° *3137*).

L'ABYSSIN, Lu par Claude Giraud, Jean-Yves Berteloot et 10 comédiens (« Écoutez Lire »).

SAUVER ISPAHAN, *Gallimard*, 1998 (« Folio », n° *3394*).

LES CAUSES PERDUES. Prix Interallié, *Gallimard*, 1999.

ASMARA ET LES CAUSES PERDUES (« Folio », n° *3492*).

ROUGE BRÉSIL. Prix Goncourt 2001 (« Folio », n° *3906*).

GLOBALIA, 2004 (« Folio », n° *4230*).

LA SALAMANDRE, 2005 (« Folio », n° *4379*).

Essais

LE PIÈGE HUMANITAIRE. Quand l'aide humanitaire remplace la guerre, *J.-Cl. Lattès*, 1986 ; « Poche Pluriel », 1992.

L'EMPIRE ET LES NOUVEAUX BARBARES, *J.-Cl. Lattès*, 1991 ; « Poche Pluriel », 1993.

LA DICTATURE LIBÉRALE, *J.-Cl. Lattès*, 1994. Prix Jean-Jacques Rousseau ; « Poche Pluriel », 1995.

L'AVENTURE HUMANITAIRE, *Gallimard*, 1994 (« Découvertes/Gallimard », n° *226*).

En collaboration

Avec François Jean, ÉCONOMIE DES GUERRES CIVILES, *Hachette*, « Hachette Pluriel », 1996.

Avec Arnaud de La Grange et Jean-Marc Balencie, MONDES REBELLES, *Michalon*, 1996.

UN LÉOPARD SUR LE GARROT

JEAN-CHRISTOPHE RUFIN

UN LÉOPARD
SUR LE GARROT

Chroniques d'un médecin nomade

Bibliothèque Municipale d'Arra

141852-1

nrf

GALLIMARD

© *Éditions Gallimard, 2008.*

J'errais, cavale du Zambèze,
courant et ruant aux étoiles
Rongée d'un mal sans nom,
Comme d'un léopard sur le garrot.

LÉOPOLD SÉDAR SENGHOR
Éthiopiques

— Il va pleuvoir, Excellence.

Du côté de Gorée, de gros nuages, fondus dans le plomb menaçant du ciel, se festonnent de blanc quand des éclairs les illuminent. Assis sur la pelouse devant ma nouvelle résidence, je me sens perdu entre deux masses effrayantes : derrière moi, l'immense palais blanc dont je suis plutôt le prisonnier que le maître et devant, au-dessus de la mer, la tempête tropicale qui s'avance. Je lève le nez et regarde le majordome africain en veste blanche qui m'attend, sans expression. Pourquoi diable m'a-t-il appelé « Excellence » ?

J'ai le plus grand mal à m'habituer, en surcroît de l'exil, à ce terme emphatique. J'ai envie de lui demander de ne plus l'utiliser. Mais je comprends, au même instant, la vanité de ce reproche. Si j'impose à mes serviteurs de ne plus employer ce mot, je serai obéi. Mais ce ne sera qu'une nouvelle manifestation de l'arbitraire, aussi docilement acceptée que celle qui a, Dieu sait quand, imposé à ces hommes l'usage du terme « Excellence » pour s'adresser aux ambassadeurs.

La pluie approche. On ne l'entend pas encore car elle

tombe sur la mer. Le rideau tiré sur l'horizon cache l'île aux Esclaves. Les palmiers, dans le parc, sont tordus par les bourrasques. Ils n'ont pas la souplesse frémissante des saules ou des peupliers. Sous la gifle du vent, ils craquent comme des squelettes et prennent des airs comiques de parapluies retournés.

— Ne vous inquiétez pas, Massemba, je vais rentrer tout de suite.

— Bien, Excellence.

Sans en demander plus, le maître d'hôtel disparaît en courant. Il est resté près de moi jusqu'aux limites de son courage, mais maintenant les premières gouttes s'écrasent sur le sol. Son instinct d'homme des tropiques lui fait sentir la violence de ce qui se prépare et commande de se mettre à l'abri.

Je n'ignore pas non plus la puissance des orages sur cette côte. Si je reste encore un peu dehors, c'est pour prolonger et conclure, par le coup de poing de la pluie, la poisseuse mélancolie à laquelle je me suis livré depuis deux jours. À peine arrivé, j'ai décidé de faire le tour des jardins de la résidence de France, mais à Paris déjà et dans l'avion plus encore, je n'ai pas cessé de penser à Mountolive. Plus précisément, c'est une scène que je me remémore, celle où Mountolive, le diplomate de Lawrence Durrell, héros du troisième tome du *Quatuor d'Alexandrie*, arrive au Caire comme ambassadeur. Il y avait travaillé vingt ans plus tôt quand il était jeune diplomate. Ce retour est un accomplissement.

Il va s'asseoir dans le jardin ; la ville palpite au loin. Il se sent « arrivé », mais où ? La modestie du présent, la déception qu'il contient n'auraient rien de grave si,

rétrospectivement, elles ne rendaient pas le passé dérisoire, qui était tout entier tendu vers ce but, cet idéal.

Je n'ai rien désiré de tel. Le poste que j'occupe m'a
été proposé sans que je l'aie sollicité. Et pourtant, quand
j'ai lu ce récit à vingt ans, il m'avait troublé comme si je
devais un jour en devenir l'acteur. Aujourd'hui, c'est le
cas. Il se peut que ma mélancolie soit littéraire ; elle
n'en est pas moins réelle.

Dakar est apparue une dernière fois dans une trouée
de vapeurs. Mais les tresses de pluie s'enroulent maintenant autour de moi. Elles m'entravent pendant qu'un
dieu invisible armé de vent et d'eau me gifle à me faire
tomber. Il n'y a plus d'ambassadeur de France, seulement un lutteur à quatre pattes, trempé d'une eau tiède
et salée comme les larmes qui tente de fuir la nature
déchaînée et de trouver une issue au-dedans.

Une porte s'ouvre, je m'engouffre. Le majordome reste
impassible, une serviette à la main.

— Il pleut beaucoup, Excellence, dit-il en avançant
vers moi un siège du mobilier national.

Je m'affale sur la marquise républicaine en finissant
de m'éponger. Le maître d'hôtel s'éloigne, disparaît.
Dans la pénombre de l'immense pièce de réception,
une lampe sourde éclaire un tableau gigantesque, absurde
en ces lieux, qui représente la bataille d'Iéna. Peut-être
à cause de l'eau qui ruisselle encore de mes cheveux, je
pense à *La Méduse*, venue reprendre possession du
Sénégal dix ans seulement après la bataille d'Iéna et
dont le sinistre radeau devait venir s'échouer à peu de
distance d'ici.

Il y a dans cette fresque guerrière le même mélange
de gloire et de naufrage. Au premier plan, un fier géné-

ral tout en blanc mène l'assaut sur un cheval cabré. Mais tout près, à un angle de la toile, lui répond l'image d'un cavalier désarmé par un coup de mitraille, affalé sur sa selle et qui regarde autour de lui sans comprendre.

Il m'arrive parfois, comme ce soir, de penser que ma vie est ainsi scandée par ces extrêmes opposés. Tour à tour champ de bataille et champ de ruines, elle n'a été qu'une suite de combats, de redoutes à emporter, de vague à l'âme l'assaut mené, de marches forcées et de nouvelles batailles. Médecine, humanitaire, littérature et aujourd'hui cette fonction nouvelle, ce nouveau défi, mon existence est une longue errance sans repos. Pourquoi suis-je incapable de m'arrêter à un destin et à un seul ? Pourquoi suis-je ainsi condamné à vivre plusieurs vies, à rouler sans répit mon rocher en haut de montagnes de plus en plus escarpées ?

L'horizon de nuit, lavé par la pluie, paraît aussi clair que peut l'être une obscurité de mer et de ciel noir. Les petites lumières de Gorée scintillent le long de la barrière de basalte. Ma femme et mes filles dorment à l'étage. Le bruit des gouttes les a bercées, comme elles le faisaient jadis sur les toits de tôle d'une autre ville d'Afrique où nous avons vécu.

J'écoute monter un murmure qui d'abord m'inquiète puis me rassure. C'est le bruit que font les souvenirs quand ils approchent en troupe. Que veulent-ils ? M'apaiser. Me dire qu'en dépit d'apparences contraires, le fil de ma vie est unique et solide. De très loin revient l'écho d'une vocation qui a fait de moi un médecin, mais en mettant dans ce mot tant d'idéal et d'espoir qu'il a pris la dimension du monde.

La médecine est la vie, ma vie, toute la vie. Aujourd'hui que je lui parais si peu fidèle, j'en suis plus proche que jamais. J'ai envie de raconter cela, de montrer cette unité.

La médecine est le véritable sujet de ce livre. Qu'on veuille bien me pardonner d'y parler beaucoup de moi ; c'est le seul moyen que j'aie trouvé pour parler d'elle.

1

Je suis né dans la médecine, comme d'autres voient le jour au bord de la mer, au flanc d'une montagne ou dans les champs. D'aussi loin que je me souvienne, la médecine a été pour moi un lieu, une condition, un état, bien avant qu'elle devienne un savoir et une profession.

Il y eut d'abord, mais cela n'aurait pas suffi, le coup de bistouri du chirurgien qui me tira du ventre de ma mère. Le mystérieux mot de césarienne, souvent entendu dans mon enfance, fut la seule trace que j'aie gardée en moi de cette entrée dans le monde, au milieu des blouses blanches. C'était un jour de canicule, dans une fin de juin particulièrement étouffante. Au prétexte des risques que j'encourais, on m'abrita dans la maison fraîche de mes grands-parents. Je ne devais pas en sortir avant dix ans. Ma mère, après son divorce, avait choisi d'aller tenter seule sa chance à Paris et mon père n'insista pas pour me garder. Ainsi, les circonstances me fixèrent dans cet endroit étrange, où rien n'était moins attendu qu'un enfant et où seule régnait une passion silencieuse : la médecine.

La grande maison n'était ni ce que l'on appellerait aujourd'hui un cabinet médical ni la simple résidence d'un vieux praticien. C'était un temple, tout entier bâti et vivant autour de la célébration d'un mystère. La cathédrale voisine en formait comme le pendant religieux. L'immense nef de pierre était consacrée à un Dieu à la fois vivant et disparu ; la maison de mes grands-parents exaltait, elle, la pratique révolue et pourtant actuelle d'une idole non moins troublante que, faute de nom plus approprié, on appelait la médecine.

Mon grand-père, comme il était d'usage de le dire, « n'exerçait plus ». Cependant, il conservait un cabinet, une bibliothèque et une clientèle qu'il refusait d'abandonner — à moins que ce ne fût l'inverse. Le cœur de la maison était constitué par son bureau, une pièce vaste, silencieuse, où il me fut longtemps interdit d'entrer. Tout le reste, les chambres, les paliers, les greniers, la cuisine n'étaient que les antichambres du sanctuaire. Sans lui, elles auraient perdu leur sens. D'ailleurs, au lendemain de sa mort, la maison a été vendue sans tarder.

À chaque coup de sonnette, l'après-midi, j'avais pour consigne de me cacher, tandis que des ombres voûtées franchissaient le portail et traversaient le jardin jusqu'à la véranda. Ce long boyau vitré encombré de plantes en pot avait toutes les apparences d'un jardin d'hiver. Mais les patients qui y prenaient place l'après-midi révélaient sa véritable destination : il s'agissait d'une salle d'attente, la station obligatoire avant l'entrée dans le Saint des Saints.

À l'autre bout du jardin s'élevait un cube de briques assez disgracieux. Avec ses odeurs d'huile et de pneus, ses jantes métalliques accrochées au mur, ses bidons alignés sur le sol, le lieu se présentait comme un garage. Il s'agissait en réalité d'un sanctuaire mineur, dédié à la conservation d'une autre relique : « la voiture du docteur ». Il avait abrité par le passé des engins considérables, dont la mémoire s'était transmise religieusement, en particulier certaine Hodgkiss que ma grand-mère évoquait toujours avec force soupirs. Ce passé glorieux permettait d'oublier qu'au fil du temps « la voiture du docteur » était devenue plus modeste. Elle prenait pour moi l'apparence assez fruste d'une Simca Aronde, d'abord grise puis bleue. Des ailes globuleuses, un volant en bakélite clair, des fauteuils en Skaï, l'engin n'avait rien de majestueux. Mais il servait à mon grand-père. Il le transportait pour d'énigmatiques voyages hors de la ville, vers des destinations presque fabuleuses quoique distantes — je le sus bien plus tard — d'une vingtaine seulement de kilomètres. Le but de ces déplacements était évidemment médical et cela leur conférait un surcroît d'importance. Il s'agissait de visites à la Mutuelle agricole ou à la Sécurité sociale du Cher, noms dont on a peine à mesurer l'effet sur un enfant solitaire rarement sorti de sa maison, peu de son quartier et jamais de sa ville natale. Avant ces départs, prolongeant une habitude prise jadis avec des engins plus fragiles, mon grand-père laissait chauffer le moteur pendant près d'une demi-heure. Les gaz d'échappement emplissaient le garage, piquaient les yeux et le bruit du ralenti résonnait contre les parois de briques, dans la pénombre. Cette lente préparation accentuait encore l'idée d'un voyage considérable.

Longtemps, je n'ai pas été admis à monter dans la voiture. Quand enfin cet honneur m'échut, j'eus la possibilité de me rendre compte que mon grand-père conduisait très lentement et qu'il faisait un usage plutôt approximatif des règles de la circulation. Ces évidences, loin de réduire mon admiration, l'augmentèrent. Car à la même époque, à peu près, j'avais été informé avec fierté par ma grand-mère que « le docteur » avait possédé une des toutes premières voitures du département. En ces temps reculés, les automobilistes appartenaient à une élite devant laquelle on s'écartait avec respect. La prudence des conducteurs était un effet de leur courtoisie et non de règles qui n'existaient pas encore. Si mon grand-père prenait des libertés avec le code de la route, c'était simplement parce qu'il ne l'avait jamais appris. Il était en quelque sorte son aîné. Il m'eût semblé plus juste, en vertu du privilège que cette antériorité lui conférait, qu'il en soit purement et simplement dispensé.

Un jour qu'il avait grillé en toute ingénuité un feu rouge placé sur sa route, j'assistai à l'interpellation de mon grand-père par un gendarme. Cet incident suscita en moi effroi puis indignation. Il se termina heureusement par la complète soumission du représentant de l'autorité à celui — trois fois saint — de la médecine. Le pandore, qui s'était d'abord avancé d'un air sévère, considéra avec stupéfaction le permis de conduire que lui tendit respectueusement mon grand-père. C'était une simple feuille de papier pliée en quatre, sur laquelle le numéro ne comportait que deux chiffres. Il y figurait aussi la mention de son titre de médecin. S'inclinant avec égard, le gendarme rendit le tout, et dit à mon grand-père d'une voix douce : « Docteur, eu égard à votre âge et à votre profession, je ne verbaliserai pas. Mais soyez prudent à l'avenir. »

Ce fut la première fois que la médecine m'apparut ainsi comme une onction sacrée, un état particulier qui plaçait ceux qui en étaient dignes un peu à l'écart du reste des humains.

En quoi consistait cet état et comment s'acquérait-il ? Comment *devenait*-on médecin ? Je l'ignorais. Il m'aurait semblé naturel, compte tenu de sa nature aristocratique, que cette qualité se transmît en héritage. Mais je devais me rendre à l'évidence : mon grand-père ne la tenait pas de ses parents et il ne l'avait pas léguée à ma mère. L'idée qu'elle fût le résultat d'un enseignement ne m'a traversé l'esprit que bien plus tard.

Les enfants croient que les secrets du prestidigitateur sont contenus dans sa baguette magique ; de même préférais-je chercher les pouvoirs de la médecine dans ses instruments. Et fort heureusement pour moi, la maison en était pleine.

Dans un appentis qui bordait le jardin et constituait mon repaire, étaient entassés pêle-mêle des objets ayant servi à la pratique de mon grand-père. Leur fonction m'était inconnue, mais leurs formes bizarres m'attiraient et plus encore la matière dans laquelle ils étaient fabriqués. L'émail, le verre, l'acier brossé, le caoutchouc craquelé, la rude toile des courroies constituaient les mots d'une langue dont j'ignorais la grammaire, mais qui me parlait déjà. Ce que d'aucuns, plus instruits, auraient désigné comme des seringues, des tensiomètres hors d'usage, des brocs à lavements, des paquets de compresses revêtait plutôt pour moi un aspect liturgique.

Nul doute, dans mon esprit, que ces attributs servaient de supports à des invocations, des cérémonies, des transes. Ils étaient peut-être appliqués sur des corps, mais c'était pour convoquer autour d'eux les esprits qui en gouvernaient le destin.

Hélas, je n'avais jamais vu mon grand-père les utiliser. Tout au plus, quand j'étais pris d'une bronchite, déposait-il sur ma poitrine un mouchoir blanc, contre lequel il collait son oreille, pour écouter ronfler mes bronches. Il ne me faisait même pas l'honneur d'utiliser un sthétoscope... S'il ne m'était pas donné d'assister aux grandes cérémonies qui requéraient l'emploi de ces instruments fabuleux, c'était sans doute que je ne le méritais pas, c'est-à-dire que je n'étais pas assez malade. Les affections sérieuses, celles qui, par leur gravité, donnent à la médecine les grandes occasions de se mesurer aux forces supérieures, rôdaient pourtant dans la maison, sous la forme d'un vocabulaire terrifiant et incompréhensible.

La « commotion cérébrale », la « congestion pulmonaire », la redoutable « caverne tuberculeuse », mal qui évoquait plutôt la chute dans un précipice qu'un processus intérieur, sonnaient lugubrement dans la conversation de mes grands-parents. De tels cataclysmes n'étaient évidemment accessibles qu'au terme d'une longue expérience de la vie et il m'était impossible d'espérer si tôt m'en montrer digne. Tout au plus me menaçait-on quand je courais trop vite et me tordais la jambe d'un « épanchement de synovie », affection certainement moins redoutable puisqu'elle semblait à ma portée. Parfois on me laissait miroiter, au terme d'un simple « embarras gastrique » la possibilité, encore virtuelle mais abordable, d'une « dilatation de l'estomac ». Malheureusement ce diagnostic, d'abord considérable, perdit de son prestige à mes yeux par l'usage répété qu'en faisait ma grand-mère dès qu'elle me voyait manger trop vite.

Pour me rapprocher du secret et tâcher de comprendre à quels mystères était dédié ce mélange d'art, de sacerdoce et de magie que l'on appelait la médecine, j'étais tenté d'entrer dans le bureau de mon grand-père et d'y chercher des indices qui auraient soulevé un coin du voile. Mais quand je m'enhardis suffisamment pour braver l'interdiction et y pénétrer, je ne décelai rien qui pût m'éclairer. Le principal meuble était un grand bureau — je l'ai aujourd'hui en ma possession et j'ai écrit sur son plateau entoilé la plupart de mes livres. Il restait désespérément vide, à l'exception d'un sous-main de cuir vert, d'une lampe à déflecteur métallique et d'un paquet d'ordonnances vierges. Le seul élément vaguement religieux dans la pièce, posé sur un petit meuble près du bureau, était une sculpture de bronze entourée de deux livres écrits en grec. Je sais maintenant qu'il s'agissait d'un buste d'Esculape et des *Aphorismes* d'Hippocrate. À mes yeux ignorants d'alors, l'ensemble pouvait évoquer un petit autel et rappeler de loin la double autorité du Christ et de la Bible. Aucun culte ne semblait pourtant être rendu à ces objets. Il paraissait difficile d'imaginer qu'ils concentrent sur eux tous les pouvoirs qui irradiaient dans ce bureau. Le seul élément insolite du mobilier était un lit étroit, poussé contre un des murs. Je n'avais jamais vu mon grand-père dormir ailleurs que dans sa chambre et nous ne recevions aucun ami pour qui ce couchage eût pu être utilisé en secours. Il fallait donc imaginer que les patients s'y allongeaient. Mais pour quoi faire ?

Sur des rayonnages, figuraient des livres reliés dont les titres ne me mettaient guère sur la voie. J'appris plus tard qu'il s'agissait principalement de romans — *Les Thibault*, *Les hommes de bonne volonté*, les œuvres complètes de Balzac — et d'ouvrages politiques consacrés aux deux guerres mondiales : en bonne place *Les mémoires de guerre* du général de Gaulle. Au mur était accroché un seul tableau, qui représentait le portrait d'un vieillard dégarni à la bouche cachée par une énorme moustache. Je crus d'abord qu'il s'agissait d'une sorte de grand prêtre dans l'ordre mystérieux de la médecine. Plus tard j'appris que Clemenceau — c'était lui — figurait à cette place non parce qu'il était médecin mais parce qu'il avait sauvé la France. Au fond, était-ce bien différent ? Il m'arrivait souvent de rencontrer en ville des personnes qui disaient à ma grand-mère — en me regardant pour que je retienne la leçon — que « le docteur » les avait sauvées, qu'elles lui devaient la vie, que leur reconnaissance était sans limites. La médecine pratiquait donc en petit et au quotidien ce qu'il était donné à un homme politique de réaliser en grand et rarement, à l'échelle d'un pays entier. Cette équivalence entre la médecine et son rôle social, ce qui pour moi plus tard devait porter le nom d'engagement, s'imposa très tôt dans mon esprit. Et la figure de mon grand-père, tout ce que je devais apprendre à son sujet, ne faisait que renforcer cette évidence.

2

J'ai passionnément aimé mon grand-père, quoiqu'il ne m'ait probablement jamais rendu cet amour. Cela m'était égal : je n'avais pas le choix. Après le divorce de mes parents — j'avais un an — mon père a disparu de ma vie, au point que je ne disposais même d'aucune photo qui pût m'aider à me le représenter. Je ne devais le rencontrer que bien plus tard, lorsque j'eus atteint l'âge adulte.

L'affection que je n'éprouvais pas à l'égard de cet homme absent, il fallait que je la reporte sur un autre. Si l'on m'avait demandé pourquoi j'aimais tant mon grand-père, j'aurais dit qu'il était le meilleur, le plus admirable, le plus aimant. Jamais je n'aurais avoué ni à moi-même ni à quiconque que je l'avais choisi parce qu'il n'y avait tout simplement personne d'autre. Le médecin et l'homme étaient à ce point confondus en lui que mon amour pour mon grand-père s'armait de toute la force avec laquelle la médecine exerçait sur moi son attraction. Amour et admiration, tendresse et fascination se mêlaient. Si bien que mon affection prenait la forme d'un culte lointain, respectueux et muet. Je n'ai pas adressé dix phrases dans toute mon enfance à ce personnage hiératique. Cela ne m'importait guère. On peut consacrer sa vie à un dieu dont on n'a jamais entendu la voix.

Revisitée avec ma conscience d'aujourd'hui, la perception que j'ai de mon grand-père est plus nette, plus détaillée et plus froide qu'elle ne l'était quand je vivais près de lui. Il a fallu plusieurs morts dont la sienne, des héritages, le dépouillement solitaire de vieux papiers et de photos pour que se construise l'image sinon complète du moins précise que j'ai du personnage désormais.

Enfant, je n'ai connu qu'un vieillard raide, immuablement habillé de costumes trois pièces et d'une cravate, qui me regardait fixement à travers des lunettes rondes. Le dernier épisode de sa vie — la déportation — avait effacé les traces de son existence antérieure. Il était un survivant, modeste et distant, silencieux et effacé. Sa légende était construite jour après jour par ma grand-mère. Elle ne se lassait pas de narrer les horreurs que lui avaient fait subir « les Boches ». Toute la ville était jalonnée des souvenirs de cette geste héroïque. En passant rue Michel-Servet, pour aller à la poste, elle ne manquait pas de me montrer l'ancien hôtel de la Gestapo où mon grand-père avait été incarcéré, interrogé et battu. Le Bordiau, sur une hauteur au-dessus des marais, était la prison où il avait été détenu. À la gare, les wagons de marchandises rouillés rappelaient le temps où on l'y avait entassé avec cent autres pour partir vers Compiègne. Ensuite, venait l'évocation du lieu mythique, improbable et cruel qui se confondait pour moi avec les domaines fabuleux de la légende arthurienne : Buchenwald. Le nom résonnait, hurlé, craché, honni, pendant les commémorations auxquelles on m'emmenait sur la place de la Libération. Loin de désigner le passé, Buchenwald était pour moi comme une préfiguration de mon avenir. La certitude d'une autre guerre habitait les esprits et les cris de « plus jamais ça » ne trompaient personne. Derrière cette vaine incantation se cachait une révolte stérile contre l'inévitable, que l'on désignait sous le terme elliptique de « la prochaine », la prochaine guerre, bien sûr, la prochaine horreur, la prochaine souffrance, qui, j'en étais certain, serait la mienne.

La médecine, là encore, me semblait un talisman propre à me permettre d'affronter un jour ces épreuves. Ma grand-mère m'avait raconté comment « le docteur » avait été sauvé « là-bas » en soignant les autres déportés. Les kapos avaient proclamé médecins des fantoches pervers. Pour se soigner, les déportés cherchaient le secours des vrais praticiens qui avaient été capturés avec eux. Tout chétif et âgé qu'il fût, mon grand-père s'était trouvé protégé par de jeunes gaillards qu'il avait traités. Ainsi, le numéro 38619 du camp de Buchenwald avait-il, grâce à ses talents, survécu à deux longues années de cauchemar. Le savoir médical, comme devant les gendarmes berrichons, avait conféré à son titulaire un privilège, fût-ce au milieu de l'horreur.

Je ne doutais pas que, pour survivre un jour aux douleurs qui m'attendaient, la médecine serait la meilleure arme.

Mon grand-père était né en 1884 à Dole dans le Jura, d'une famille de petits employés et d'ouvriers. Leur continence était le gage de leur ascension sociale : n'ayant jamais qu'un enfant à chaque génération, ils se donnaient les moyens de lui payer des études. Ils se sont lentement élevés dans la hiérarchie de fer de cette époque, marquée par l'existence de castes hermétiques. Mon arrière-grand-père, après de courtes études scientifiques, a occupé toute sa vie un poste assez modeste d'ingénieur à la construction des chemins de fer. C'était à lui que l'on devait la présence dans la maison d'objets anciens, excavés pendant les travaux. Fossiles, cristaux, armures gallo-romaines, pièces de monnaie antiques étaient respectueusement rapportés à Monsieur l'ingénieur par les ouvriers de ses chantiers. Ainsi cet aïeul, que je n'ai pas connu, se manifestait-il à moi par ces découvertes sorties des profondeurs. Je me l'imaginais comme un homme qui fouille les entrailles de la terre, pratique qui n'était guère différente de ce qu'accomplit la médecine dans les intérieurs obscurs du corps humain.

Était-ce de là que son fils avait tiré sa vocation ? Je ne le saurai jamais.

En tout cas, son influence a fait entrer très tôt dans l'esprit de celui qui devait devenir mon grand-père la nécessité du travail et une forte discipline intérieure. Entre autres héritages minuscules que j'ai fait après sa mort, figuraient de nombreux livres de prix. Ces épais volumes rouges à la couverture cartonnée comportaient tous sur la page de garde la mention de la matière qu'ils avaient couronnée. Prix de latin, de poésie, d'arithmétique, d'histoire, ils témoignaient d'un parcours qui me semble aujourd'hui plus studieux que brillant. Il y figurait rarement des premières places, plus souvent des accessits, des deuxième et troisième prix, preuves de ténacité plus que de facilité. Ensuite, mon grand-père est « monté » à Paris, pour y faire ses études. Il avait beaucoup aimé, semble-t-il, ces années d'étudiant. À voir ses photos de l'époque, on sentait qu'il accomplissait de gros efforts pour accrocher à son visage juvénile les attributs du sérieux : moustache en croc, binocles, raie au milieu. Malgré cela, les yeux malicieux, un coin de bouche relevé dans un irrépressible sourire, une façon nonchalante de s'appuyer sur ses camarades en prenant la pose, trahissaient l'humour, la joie de vivre, une certaine débauche peut-être. À vrai dire, je n'en sais rien, mais je serais heureux qu'il en ait été ainsi. Le reste de la vie de mon grand-père a été marqué par tant d'épreuves que j'aimerais — pour lui — que ses années d'étudiant aient été un peu dissipées, livrées à des amitiés entières et à des amours sans entraves. Mais j'ai conscience de penser plus en romancier qu'en mémorialiste…

Au bout du parcours, il obtint une nouvelle récompense. Encore un livre mais, cette fois, il l'avait écrit lui-même. C'est sa thèse de fin d'études. J'en ai conservé un exemplaire. Son titre : « L'hérédité similaire dans la paralysie générale ». Il s'agit d'une revue de cas commentée qui tend à confirmer la transmission héréditaire de… la syphilis tertiaire. Le propos aujourd'hui fait sourire. Il ramène à un temps à la fois lointain et proche où l'on découvrait à peine le rôle du tréponème. Cette thèse inepte s'employait à démontrer qu'une maladie indiscutablement infectieuse était en réalité une tare génétique transmise de génération en génération ! Ainsi ce parchemin, utilisé par mon grand-père toute sa vie pour prouver son savoir de docteur, proclamait-il en réalité son ignorance et celle de tous les autres Diafoirus du temps. Pire, je le crains, cette thèse traduisait sa participation au combat douteux de l'erreur contre la vérité. À cette époque, les idées pasteuriennes révolutionnaient la médecine. La vieille Faculté, comme d'habitude, refusait d'avoir tort. Elle jetait ses bataillons d'étudiants dans la mêlée et leur imposait des travaux d'arrière-garde visant à retarder l'avance de l'ennemi, c'est-à-dire du progrès. Mon grand-père, étudiant pauvre pressé d'en finir et de s'installer, n'avait pas le choix de refuser cette basse besogne. Il a été mieux inspiré dans les autres combats de sa vie, même s'il a toujours conservé cette propension des faibles et des gentils à se faire, quoi qu'il arrive, casser la gueule.

Ses études tout juste terminées, l'Histoire devait d'ailleurs lui fournir l'occasion de prolonger sa carrière de fantassin de la connaissance, de chair à canon du savoir, mais au sens propre cette fois. Mobilisé comme médecin au front pendant la guerre de 14, il passa près de quatre années à couper des jambes et des bras. J'ignore le détail de ce qu'il a fait à cette époque. Seuls restent des citations élogieuses signées du général Franchet d'Espèrey, des papiers militaires indiquant des permissions et une blessure — un éclat de shrapnell à l'épaule. J'ai retrouvé quelques photos effrayantes montrant une tente de campagne et mon grand-père devant, en tenue de boucher, couvert de sang, les yeux dans le vague, saturé d'horreurs et de cris.

Ces reliques ne sont en ma possession que depuis peu. Avant de les découvrir, je n'avais tout simplement pas pu — ou pas voulu — imaginer cette époque. Je savais que mon grand-père avait participé à cette guerre. Mais la médecine était pour moi une activité silencieuse et subtile et je préférais croire qu'il l'avait exercée dans les tranchées comme il le fit plus tard dans le confort de son cabinet. Jamais je ne m'étais représenté la version brutale, sanglante, barbare, de la médecine de guerre, les chairs en charpie, les viandes mutilées, la gangrène. Il est probable que, si j'avais eu cette imagination, je n'aurais pas choisi ce métier. Je supporte très mal les spectacles sanglants, les amoindrissements du corps, l'effraction douloureuse que subissent les hommes ou les bêtes. Heureusement, je n'ai jamais vu la médecine comme cela. Au contraire, elle a toujours été pour moi la science des harmonies du corps, gardienne de la santé, garante du bien-être. Et j'ai toujours considéré que ses ennemis étaient ces adversaires talentueux et retors qu'on appelle des maladies et non pas ces intrus grossiers que sont le sabre ou les balles. Plus tard, quand j'ai rejoint les organisations humanitaires, j'ai laissé à d'autres, que cela passionnait, les gestes de chirurgie de guerre, domaine qui appartient plus pour moi à l'univers sommaire du secourisme qu'à celui, complexe et délicat, de la médecine.

Il ne semble pas, d'ailleurs, que mon grand-père ait pris goût à ce qu'on l'a forcé à faire pendant cette guerre ignoble. Son premier soin, sitôt la paix revenue, fut de s'installer bien loin et pour faire tout autre chose. Il choisit Bourges, je ne sais pas pourquoi. Tout juste m'a-t-on dit que sa femme, épousée avant la guerre, l'avait quitté (je n'ai jamais vu son visage car ma grand-mère avait pris soin de découper l'image de sa rivale sur toutes les photos où elle figurait). Le jeune médecin était donc libre et je suppose que l'attrait d'une clientèle a été la considération principale de son choix. À l'époque, dans les provinces, le médecin était un per-

BIBLIOTHÈQUE MUNICIPALE D'ALMA

sonnage considérable. La distinction entre ville et campagne n'était pas aussi nette qu'aujourd'hui. Quoique ayant son cabinet en ville, mon grand-père soignait aussi les paysans dans leurs fermes. On le payait souvent en nature : il rapportait de sa tournée de visites des fromages, du vin blanc, des poules. Dans sa poche, il tenait prêt dans un petit gousset de feutre gris un minuscule pistolet de marque Browning. Son usage était réservé aux chiens errants qui le poursuivaient parfois sur les chemins.

Ce fut au cours d'une de ces tournées qu'il rencontra ma grand-mère et la médecine, une fois de plus, servit d'instrument à son destin. La jeune fille n'était pas très jolie, mais mon grand-père était un homme indulgent, prêt à confondre volontairement la jeunesse avec la beauté. Quant à ma future grand-mère, je suppose qu'elle était habile à faire oublier le peu de qualités physiques dont l'avait gratifiée la nature, en faisant étalage d'une douceur, d'une passion, d'une sensualité dont le malheureux divorcé était altéré. Le logis pauvre de ses parents — son père mineur était mort très jeune, alcoolique, laissant une femme et huit enfants — devait servir de faire-valoir aux maigres qualités de la soupirante. La jeune fille n'en était plus tout à fait une — c'était elle qui, pendant la guerre, avait quitté son premier mari. Mais certaines femmes ont une façon si goulue de s'abandonner à la palpation et au stéthoscope, une élégance si tendre à offrir au médecin des symptômes dont l'un et l'autre savent qu'ils n'existent pas et ne sont que prétexte à soupirer d'abord et ensuite à s'enflammer de reconnaissance pour une guérison prétendue, qu'il est bien difficile de leur résister. D'ailleurs, à sa manière, ma future grand-mère était sincère : peut-être pas dans son amour pour le médecin mais, en tout cas, dans sa passion pour la médecine. Sa longue vie (elle est morte à quatre-vingt-treize ans) fut un exemple rare de santé et de résistance physique. Elle a cependant été placée sous le signe de la souffrance, de la plainte, ponctuée d'alitements interminables et de bobos élevés au rang de maladies incurables. Preuve de cette extraordinaire puissance d'auto-apitoiement, elle a réussi le tour de force, quand son mari est rentré du camp de concentration, de se déclarer plus atteinte que lui. Réduit à l'état de squelette, ravagé de dysenterie, le corps couvert de sanies, mon grand-père, de retour chez lui, a été promptement dissimulé dans une chambre, où les visites étaient proscrites. Ce n'était pas pour lui assurer le repos. Car dans la pièce voisine, séparée par une mince cloison qui laissait passer les paroles et les gémissements, un défilé continu de visiteurs venait s'apitoyer sur ma grand-mère. Victime pendant la guerre d'un accident de voiture sans gravité, elle était restée des mois au lit jusqu'à laisser se constituer une phlébite et — mot que l'on prononçait à voix basse — un début d'embolie pulmonaire. Le traitement proposé à l'époque était un enveloppement par des draps mouillés et froids, méthode dont on conçoit en effet qu'elle pût venir à bout de la constitution la plus robuste. Ma grand-mère réussit ainsi la performance de se rendre malade par le seul effet de sa volonté et des traitements, mais sans le secours d'aucune pathologie véritable. Elle parvint à se maintenir entre les douceurs de la vie de malade et la menace sans cesse réitérée d'une mort pourtant improbable jusqu'à ce que mon grand-père se fût relevé de la déchéance et de l'horreur où l'avait plongé sa captivité. Alors, il put enfin prendre le relais de ses confrères et apporter à sa femme les soins privés qui, seuls, devaient lui apporter la guérison.

Je naquis trop tard, hélas, pour être le témoin de ces hauts faits. Quand j'arrivai dans la maison de mes grands-parents, les lustres de la médecine étaient presque éteints. Ne restaient plus que des instruments morts et la petite lumière du bureau pour indiquer que le lieu était toujours consacré. La seule fois où j'entrevis ce qu'était la médecine dans ses pompes fut pendant la période de convalescence de ma mère, victime d'une hépatite virale. La malheureuse subissait chaque jour de douloureuses séances de piqûres. On lui avait prescrit des extraits de foie, produit dont j'appris par la suite qu'il était aussi inutile que dangereux. Épuisée par la maladie et achevée par le traitement, elle s'était réfugiée quelques semaines chez ses parents, c'est-à-dire près de moi, pour recevoir des soins. Je suivais tous les événements avec passion. Ils me mettaient pour la première fois en présence de la vraie maladie. Voir les yeux de ma mère devenir jaunes, assister — de loin — au ballet des médecins et des infirmières, prendre dans mes mains les petits flacons injectables qui lui faisaient si mal et regarder le liquide blanchâtre scintiller à la lumière, tout cela était passionnant. Cette animation inhabituelle s'accompagnait d'une impression délicieuse de tendresse. Ma mère absente travaillait à Paris et ne venait me voir que tous les quinze jours. Pendant son traitement, je l'avais enfin toute à moi. Je crois pouvoir dire que ces trois semaines furent les plus heureuses de toute mon enfance. Et ce bonheur, je le devais à la maladie.

Rares étaient cependant ces moments intenses. La plupart du temps, mon enfance auprès de ces bons vieillards fut ennuyeuse. À trop s'envelopper de mystère, toute chose finit par émousser l'intérêt qu'on lui porte. Ainsi en fut-il pour moi de la médecine. J'en arrivais à la considérer comme une activité désuète, poussiéreuse, confinée. La mort de mon grand-père — arrachement terrible mais drame prévisible — acheva de m'éloigner de cette science, du moins le croyais-je.

C'est que la vie, la vraie, parvenait malgré tout à pénétrer dans notre maison déserte. *Paris Match* — dont une collection entière faisait mon bonheur au grenier — apportait chaque semaine jusqu'à nous les photos de la conquête spatiale, la chienne Laïka, Gagarine, John Glenn... Ma grand-mère, pour meubler les soirées, avait fait installer un appareil de télévision, petit écran vert qui laissait place le soir à des images tressautantes en noir en blanc. Nous entendions chanter Georges Guétary, Luis Mariano, Tino Rossi. Et nous recevions des nouvelles de la guerre en Algérie — tiens, la guerre existait donc toujours malgré le retour de mon grand-père et les cris de « plus jamais ça ». Ma mère, quand elle venait, apportait des magazines où s'étalaient des starlettes, au volant de voitures décapotables.

Ainsi, la vie palpitait au-dehors. Notre ville de province, mes grands-parents, la médecine, malgré tout ce que je leur devais et d'abord le respect, n'appartenaient à l'évidence pas à la vie. J'étais confiné dans un sépulcre et je rêvais de m'en évader.

Je n'y parvins qu'à l'âge de dix ans. Quand ma mère fut suffisamment à l'aise pour louer un deux pièces et m'accueillir, j'allai habiter à Paris avec elle. Aussitôt, j'oubliai tout à fait la médecine. Je rêvais de devenir architecte, acteur, diplomate... Jusqu'à ce qu'arrive Christiaan Barnard.

3

Il portait une blouse verte, avec une bavette stérile rabattue sur le cou. Ses longues mains étaient croisées devant lui, simples et belles, instruments du miracle. Et il regardait le lecteur avec un sourire charmeur, mystérieux, celui d'un homme qui a longtemps rêvé le moment qu'il vit. Il semblait hésiter encore, au seuil de la gloire, porteur d'ombres que n'avait pas tout à fait effacées la lumière soudaine et violente qui venait de l'éclairer. Il était sud-africain, fils de pasteur et s'appelait Christiaan Barnard.

Ce portrait avait fait le tour du monde et, inévitablement, la « une » de *Match* avec ce titre inouï, inimaginable : « Première greffe du cœur au Cap : le patient est vivant. » Le fait paraît presque banal aujourd'hui. Non que l'opération soit devenue bénigne. Elle reste rare et délicate. Mais elle se pratique couramment. Surtout, elle fleure bon ses années soixante, l'époque du pont de Tancarville et de l'Aérotrain. Elle est à la fois avant-gardiste et un peu grossière. Les grands progrès, de nos jours, sont accomplis à l'échelle du gène, des nanoparticules, dans le microcosme cellulaire. Farfouiller ainsi dans les chairs à grand renfort de bistouri, de clamps, de ficelles, renvoie plutôt à Jules Verne qu'à l'ère du virtuel. La greffe du cœur se situe à l'apogée de la science chirurgicale et à l'aube de la médecine cellulaire et véritablement scientifique. Elle clôt l'ère de la médecine opératoire, ouverte par Ambroise Paré et triomphante pendant la première moitié du XXᵉ siècle. Mais qu'importe la valeur concrète de l'opération. L'essentiel n'était pas là, pour moi en tout cas. Barnard avait l'immense mérite de hausser la médecine au rang des autres grandes aventures de la science moderne et d'abord de la plus emblématique d'entre elles : la conquête spatiale.

Tout, dans la mise en scène de la première greffe du cœur, était de nature à créer un lien inconscient entre cette opération chirurgicale et le lancement d'un vaisseau habité. Même atmosphère stérile, même environnement d'instruments destinés à assurer la survie dans une situation totalement hostile (le vide spatial d'un côté, la circulation du sang à l'extérieur du corps de l'autre), mêmes étoffes étranges, mates et rêches pour les champs opératoires, souples et brillantes dans les combinaisons spatiales, et, au centre, une vie humaine, à la fois fragile et glorieuse. Bien sûr, il n'y eut rien de commun entre l'épopée d'un John Glenn et l'aller sans retour du pauvre Louis Washkansky. Pourtant, l'un comme l'autre étaient volontaires. Anciens militaires, ils offraient le sacrifice de leur vie pour une mission dont le bénéficiaire devait être l'humanité. Peu importe, en vérité, que l'un en soit revenu et l'autre pas.

La différence principale entre les deux aventures, la spatiale et la médicale, était que cette dernière s'incarnait dans un seul homme. L'envoi d'une fusée est un acte trop collectif pour qu'il pût être attribué à un chef d'orchestre unique. Tandis que Barnard, même s'il dirigeait une équipe, en était à la fois le cerveau et la main... Lui seul — avec son frère — avait conçu l'affaire, sélectionné donneur et receveur, incisé la peau, pour accomplir un acte irréparable : retirer le cœur d'un homme vivant et le remplacer par celui d'un mort. Il était la personnification du héros et la presse ne s'y était pas trompée.

Bien plus tard, j'ai pris le temps de visiter au Cap l'hôpital Groote Schuur où eut lieu l'opération. C'est un endroit plein de force et de charme, situé au pied de l'immense barrière rocheuse de la montagne de la Table. Quelques bâtiments de style hollandais, avec frontons blancs et toits verts, disposés en amphithéâtre, constituent le centre historique de l'hôpital — il s'est aujourd'hui beaucoup étendu. Le département du professeur Barnard a été reconstitué au premier étage du pavillon central. C'est devenu le lieu de pèlerinage, pour ne pas dire de culte, des cardiologues du monde entier — et de beaucoup de médecins d'autres spécialités.

Cette visite suffit à se convaincre qu'en effet, l'exploit de Barnard était une prouesse bien peu technologique. L'ensemble produit la même impression que la visite du *Concorde* : absence totale — évidemment — d'informatique, matériaux encore très primitifs (verre, bois, métal, plastiques rudimentaires). Dans la reconstitution de la salle d'opération, on voit par exemple une balance pour bébé sur laquelle étaient posés les linges sanglants afin de calculer le volume des pertes et les quantités à remplacer. Une pince métallique permettait ensuite à ces champs de s'égoutter. Le sang dont ils étaient imprégnés rejoignait, par une rigole, le système de la circulation extracorporelle, c'est-à-dire qu'il était réinjecté dans le corps du patient, irriguait ses reins, son cerveau... On dirait une gravure de l'*Encyclopédie*, expliquant le fonctionnement d'une manufacture du XVIIIᵉ siècle.

Mais rien de tout cela ne diminue l'admiration du visiteur, bien au contraire. Ce que l'on perd en technologie, on le gagne en audace et en courage. Il en a fallu pour faire entrer un patient dans ce théâtre où la mort était quasiment annoncée. La biographie du premier opéré, exposée à côté de ses deux cœurs — l'ancien et le greffé — qui flottent aujourd'hui dans des bocaux, le confirme. Ce membre de la courageuse colonie juive du Cap, parti de rien et devenu riche à force de travail et de volonté, combattant de la guerre de 39-45, a lucidement accepté de mourir en héros. Au-delà du rôle personnel de Barnard, on comprend pourquoi l'Afrique du Sud était bien placée pour accueillir cette première. Car la conception de l'opération était américaine, due à un certain professeur Shumway dont Barnard avait été l'élève. Pour passer à l'application humaine, il fallait un pays à l'esprit pionnier, où se trouverait un homme assez téméraire pour accepter volontairement et au seul profit des autres la souffrance et la mort. L'Amérique en aurait trouvé, mais le plus grand cas que l'on y faisait de la vie humaine avait retardé le passage à l'étape décisive. L'Afrique du Sud, elle, ne s'encombrait pas des mêmes garanties juridiques...

Quoi qu'il en soit, l'effet de cette nouvelle fut décisif pour moi. Barnard, d'un coup, est venu renouveler la figure de mon grand-père, l'irradier de sa modernité, le tirer du séjour poussiéreux de la vieillesse et de la mort. En eux deux, je sentais un point commun : le courage et l'engagement, et en cela au moins je ne me trompais pas. Mais là où, chez mon grand-père, le courage prenait l'aspect un peu déprimant de la souffrance et du sacrifice, il se teintait, chez Barnard, des couleurs vives de la jeunesse et de la réussite. À l'Athos vieillissant et affaibli que j'avais connu venait se substituer un d'Artagnan dans la force de l'âge, sauveur d'hommes et tombeur de femmes. J'avais seize ans, j'étais plein de lectures et de rêves. Je décidai de suivre la voie tracée pour moi depuis ma naissance, dont j'avais cru pouvoir un temps m'écarter mais vers laquelle Barnard, l'Archange, en me prenant par la main, était venu de nouveau me diriger.

Ma « vocation », terme qui était à l'époque beaucoup plus d'usage qu'aujourd'hui, était donc double. D'un côté, à travers mon grand-père, je rejoignais la médecine dans ce qu'elle avait de plus ancien et de plus traditionnel, une branche des humanités, un métier de culture, proche des lettres, de la philosophie, nourrie de sagesse. De l'autre, avec Barnard, j'étais attiré par la médecine pionnière, à la pointe d'une révolution qui débutait à peine. Son langage était celui des sciences plus que des lettres ; elle s'écartait de tous les préceptes de la sagesse et du sens commun, refusait la fatalité de la maladie et même de la mort jusqu'à concevoir l'inconcevable, comme de greffer à un homme le cœur d'un autre.

Il me faudrait un jour payer le prix fort pour supporter cette schizophrénie. Entre ces deux modèles largement incompatibles, je me préparais à beaucoup d'émerveillement mais à beaucoup de souffrances aussi.

41

Au point que ce qui me poussait vers la médecine était aussi ce qui devait finalement m'en détourner.

Pour l'heure, j'ignorais ces obstacles à venir. Seule m'éclairait une rassurante certitude :

Je serai médecin.

4

Les études de médecine sont longues mais faciles. Les enseignants en sont à tel point convaincus qu'ils installent à l'entrée un filtre sévère, pour empêcher que des foules s'y engouffrent librement.

Ainsi l'apprentissage de la médecine est-il précédé d'une période cruelle qui s'apparente assez au débarquement de Normandie. Des vagues d'étudiants hagards sont lâchés, à découvert, sous une impitoyable mitraille qui en éliminera les deux tiers. Les armes, placées en batterie, qui cueillent les assaillants se nomment mathématiques, statistiques, physique, chimie. Tous ces mots sont flanqués du préfixe « bio », sans doute pour apporter la consolation, à ceux qui en seront les victimes, de savoir qu'ils sont, un bref instant, entrés tout de même en contact avec la médecine. Comme les GI's abattus jadis sur les plages pouvaient goûter la gloire éphémère d'avoir foulé le sol de France...

Ceux qui veulent faire carrière dans la préservation de la vie doivent d'abord sortir indemnes d'un gigantesque massacre. C'est une nécessité que l'on pourrait comprendre, si la sélection ne s'opérait pas avec tant d'injustice. Car les mieux armés pour franchir ces obstacles sont ceux dont les convictions médicales sont les moins assurées. Les bons élèves, appliqués, dociles, inscrits là par hasard plus que par vocation, assez indifférents pour accepter d'apprendre n'importe quoi et de le recracher servilement, passeront leurs examens dans une douce sérénité. S'ils échouent, ils iront du même pas traînant tenter leur chance dans une autre matière et l'on fera aussi bien d'eux des agents d'assurances ou des cadres de l'industrie. Ceux-là seront les élus.

Au contraire, les convaincus, les passionnés, ceux qui ont déjà passé deux ou trois étés à brancarder des malades, ou à laver le sol dans des cliniques, ceux qui ont tout lu sur leur futur métier, qui tremblent d'échouer et ne voudraient à aucun prix se résoudre à embrasser une autre carrière que la médecine, ceux-là seront fébriles, paralysés par le trac. La première balle, tirée de son bunker par un biophysicien qui n'a jamais approché un malade, sera pour eux.

J'ai bien failli laisser la peau sur ce rivage. Heureusement, la sélection, au moment où je me présentais, était moins sévère qu'aujourd'hui. Surtout, la médecine était plus proche. On sentait son odeur, elle décuplait nos forces.

La réforme Debré venait de faire éclater la Faculté de Médecine en Centres hospitalo-universitaires. Elle avait créé dix de ces CHU à Paris et celui où je m'étais inscrit (la Pitié-Salpêtrière) ne disposait pas encore de locaux d'enseignement suffisants. Les cours de ces premières années avaient lieu dans des endroits de fortune et principalement rue Cuvier, dans un amphithéâtre vénérable qui appartenait au Muséum d'histoire naturelle.

Il fallait traverser le Jardin des Plantes pour s'y rendre. En passant devant la Grande Galerie de l'évolution, nous apercevions derrière les croisées l'échine osseuse des dinosaures. Un pauvre morse tournait dans un bassin et nous lui avions donné le nom de notre professeur de physique car ils avaient les mêmes moustaches... Ce n'était pas la médecine, pas encore. Mais ce décor convenait assez bien pour en figurer l'antichambre. Les aridités mathématiques ou chimiques se teintaient, dans ces lieux, de reflets vivants et pittoresques. Le voisinage des animaux et des plantes laissait apercevoir la prochaine arrivée de l'Homme. Je me sentais libéré du carcan de l'enseignement secondaire. Les grands amphithéâtres me convenaient mieux. Personne ne prêtait attention à votre conduite, vous pouviez à votre gré entrer et sortir, rêver, dormir ou travailler. Je serais jugé sur mes résultats et le reste importait peu. Finis, les gestes dévots de l'enseignement (traits tirés à la règle, cahiers sans taches, protège-livres), inutiles, les attitudes soumises, le silence obligatoire, les indulgences achetées auprès des professeurs par les vils moyens de l'obséquiosité. Seul comptait le travail. J'ai travaillé.

L'autre nouveauté était la présence — nombreuse — de filles parmi nous. J'appartenais à une génération qui avait encore connu la ségrégation des sexes. La mixité des amphithéâtres, loin de pousser à la débauche, était un moyen inattendu et infaillible d'accroître la concentration. Car les filles, dont je n'avais jamais eu jusque-là à apprécier l'ardeur au travail, se montraient si attentives, si régulières dans l'étude, si souples devant la variété des exercices qui leur étaient imposés que mon premier désir fut de ne pas me montrer inférieur à elles. D'autres garçons, plus habitués aux jeux de la séduction et de l'amour, prenaient au contraire des postures nonchalantes, détachées, et se faisaient admirer des filles par la superbe indifférence avec laquelle ils accueillaient le naufrage de leurs résultats. Il me semblait évident qu'ils obtenaient ces succès à leurs propres dépens et qu'ils paieraient cher et longtemps les gloires éphémères dont ils se contentaient. Me jugeant avec raison boutonneux, ignorant de ces choses, manquant de grâce et de conversation, je tentais de me rendre intéressant en revêtant le costume sinon du bon élève — je n'étais pas encore certain que mes résultats me donneraient les moyens de cette ambition —, du moins de l'étudiant consciencieux.

Les études de médecine exigent une telle concentration qu'elles laissent peu de temps pour entretenir des contacts extérieurs. Les étudiants vivent entre eux et c'est entre eux aussi que se forment les couples. Ce sont souvent des relations durables et il est très courant de rencontrer à cinquante ans des médecins maris et femmes qui se sont connus sur les bancs de la Faculté.

Pour les filles qui recherchaient une relation de ce type, c'est-à-dire sérieuse et non pas réduite à une brève aventure, un personnage de mon genre était intéressant. Le brio n'est pas une qualité dans ces milieux, moins en tout cas que la force de travail, l'esprit de carrière et de responsabilité. Malgré mes remarques niaises, mon air trop juvénile, je pouvais être rangé, pour un œil exercé, dans la catégorie des étudiants d'avenir : ceux qui sauraient gagner leur vie et soutenir une famille. Nous avions dix-huit ans et il est un peu triste de penser que nos conversations roulaient déjà sur ces questions matérielles. Tel était pourtant le cas, au moins parmi ceux et celles que je fréquentais.

Le résultat fut que dans la première année, sans avoir la moindre idée sur la manière dont il fallait s'y prendre avec l'autre sexe, je me trouvais entouré de plusieurs filles. L'une d'elles se détacha du lot, et très naturellement, sans que j'eusse à prendre la moindre décision, nous étions ensemble au début du deuxième trimestre.

Nous abordâmes la sexualité avec le même sérieux que les études. Elle n'avait pas plus d'expérience que moi en la matière. La première fois que nous fîmes l'amour, nous procédâmes méthodiquement, comme nous en avions l'habitude dans nos études. Tout comme moi, elle était allée auparavant en bibliothèque consulter quelques ouvrages sur le sujet. Il s'agissait, en somme, de prendre un peu d'avance sur le programme de nos enseignements. Cette épreuve réussie avec succès — aujourd'hui, je nous mettrais à peine la moyenne —, nous reprîmes nos études.

Ma compagne travaillait beaucoup. Nous nous expliquions mutuellement les cours et nous nous faisions réciter. Nous vivions dans nos études et pour elles. On peut juger — c'est ce que nous fîmes — qu'il y avait là une forme de bonheur. Porté par cette relation, mes résultats ne firent que progresser, de conserve avec les siens. À cet avantage, mon amie en ajoutait un autre dont je n'évaluais pas bien l'importance : son père était professeur de médecine. Ainsi pouvais-je espérer trouver ma place par alliance dans la caste, la guilde des grands patrons. Aux yeux de beaucoup, nous formions le couple parfait.

5

En quoi consiste ce processus lent et imperceptible qui fait *devenir* médecin ? On a du mal à situer le moment de cette transformation car pendant des années, il ne se passe rien. Chaque jour apporte son lot d'enseignements décousus. Physiologie, anatomie, histologie, sémiologie, pathologie, thérapeutique, l'impression de cohérence que peut rendre l'énoncé d'un tel programme est démentie par la dispersion quotidienne de cours sans lien les uns avec les autres. L'étudiant est comme un alpiniste. Il a pu avoir, avant de s'élancer, une vue d'ensemble de la montagne qu'il lui faudra gravir ; une fois engagé, le nez sur la roche, il ne voit plus qu'un désordre d'arêtes, de gorges, de fissures auquel il est bien difficile d'attribuer un sens.

L'imprégnation des matières médicales est d'abord marquée par l'incohérence, et pourtant, à l'insu même de celui qui accomplit ce parcours, une connaissance intérieure s'élabore. Elle est incomplète. Des lacunes persistent (les cours manqués, les « impasses »), mais une forme générale se dégage. On commence à voir l'unité d'un corps humain malgré les différents niveaux d'approche : le niveau anatomique (organes), cellulaire (tissus), fonctionnel (physiologie).

Surtout, on commence à éprouver la géniale intuition des Grecs, qui a fait naître la médecine : la pathologie est un dérèglement mais *compréhensible*. La maladie n'est pas n'importe quoi. Elle revêt un nombre limité de formes et ces formes peuvent être analysées à la lumière du fonctionnement normal du corps. Autrement dit, le pathologique n'est qu'un prolongement du physiologique, à la suite d'une perturbation. Par exemple, la destruction d'une valve cardiaque aura un effet sur le reste de l'organe qui s'explique rigoureusement par les déséquilibres de pression que cette anomalie induit. Connaître le fonctionnement de la pompe cardiaque, c'est prévoir ses possibles dérèglements.

Autre évidence mystérieuse qui se dégage peu à peu : on peut avoir la certitude de l'évolution d'un processus que par ailleurs on ne comprend pas. La médecine a longtemps été — et elle reste en pratique — la science du pronostic. Je ne connais pas le mécanisme interne du cancer et pourtant, en présence d'une tumeur maligne, en fonction de signes qu'il m'appartient de rechercher, je peux prédire avec une raisonnable certitude son évolution.

La pratique clinique exige ainsi l'abandon — ou le relâchement — du désir légitime qui est en chacun de nous de comprendre. La lecture des symptômes et des syndromes, la construction d'un tableau clinique et d'un arbre diagnostic ne sont pas directement reliées à la connaissance des causes des maladies. On pourrait comparer cette activité à l'observation des constellations célestes : ces dessins d'étoiles n'ont rien à voir avec l'astronomie véritable. Dans un même groupe (Orion, par exemple) voisinent des étoiles dont la distance, la taille, l'origine peuvent différer complètement. De même, les tableaux cliniques n'ont été longtemps que des figures de surface, construites dans l'ignorance des mécanismes réels de la maladie.

Le jour où un médecin grec, observant un homme qui buvait sans cesse et urinait encore plus, mangeait et maigrissait, a eu l'intuition de nommer ce syndrome *diabète* — maladie du passage —, il ne connaissait ni la glycémie, ni le pancréas, ni l'insuline. On distingue aujourd'hui deux diabètes bien différents : le sucré et l'insipide. Le premier est lié à un dérèglement de la production d'insuline, le second à une maladie de l'hypophyse.

Peut-être faut-il voir là le cœur de la médecine : ce qui différencie les études médicales d'une simple encyclopédie de vulgarisation. Ceux qui veulent s'informer sur les maladies les passent en revue l'une après l'autre, apprennent leurs causes, leurs effets, les traitements qu'on peut leur opposer. Cela ne fait pas d'eux des médecins. Il leur manque le moyen de s'y retrouver dans cet immense catalogue. Aller du patient jusqu'à la maladie, voilà ce qui constitue le cœur de la science médicale, que l'on appelle la clinique.

La première étape de la démarche clinique est la sémiologie. C'est la science des signes. Elle enseigne à s'y retrouver dans ce jeu de piste qu'est un diagnostic. À quels signes se repérer ? Comment traquer le symptôme, rejeter celui qu'on vous livre trop facilement et rechercher avec soin celui que le patient ne songe pas à mentionner ? Comment construire, à partir des éléments épars fournis par la parole, la vue, le toucher, une constellation utile, un syndrome ? Et comment ensuite, enfin, déterminer à quelles pathologies il peut correspondre ?

Cette étude clinique est un exercice en soi qui nécessite un long et patient apprentissage. Il était inconcevable de s'en passer autrefois, quand la médecine était plus ignorante. Aujourd'hui, les examens complémentaires donnent trop souvent l'illusion que l'on peut sauter l'étape clinique. À quoi bon scruter la complexe sémiologie du cerveau quand un scanner, en dix minutes, nous donnera la topographie précise — et souvent la nature — des lésions ?

Je suis arrivé en médecine à la période où cette évolution était en cours. On savait déjà beaucoup, beaucoup plus que dans tous les siècles passés. La biologie, la radiologie, l'endoscopie apportaient leur précieux concours au diagnostic. Pour autant, l'art divinatoire de la clinique n'avait pas subi la réduction qu'il connaît actuellement. On continuait de l'apprendre dans les livres, mais surtout « au lit du malade ». La médecine se rattachait, par cette pratique, aux écoles philosophiques de l'Antiquité, celles qui mettaient en relation un maître et ses disciples. Cet enseignement magistral donnait lieu aux spectacles les plus fascinants, mais aussi les plus contestables...

Ces démonstrations cliniques étaient liées à la figure, ambiguë par ailleurs mais sublime dans cet exercice, du « grand patron ». Le rituel était quasi immuable. Un malade nu dans son lit, affolé de crainte et d'admiration, livre à une cour d'assistants en blanc le spectacle de son corps déformé par la maladie. Au pied du lit parade le grand patron. D'abord, il écoute l'externe bredouiller l'observation : circonstances de la maladie, antécédents, données de l'interrogatoire, signes relevés à l'examen. Ensuite, l'interne se hasarde à construire un tableau clinique, avance un diagnostic et tente de justifier le traitement entrepris. Les médecins plus gradés — chefs de clinique, assistants — ne disent rien. Ce sont eux qui ont, en général, pris les décisions. Si le patron doit les critiquer, il importe, pour préserver leur autorité, que la foudre tombe sur des sous-fifres. Alors le professeur prend la parole. L'épreuve, c'est d'abord lui qui la subit. Cette assistance soumise par la hiérarchie de fer de la médecine ne dira jamais rien contre un chef de service. Elle applaudira à tout, mais n'en pensera pas moins. Quand un patron est arrivé par des magouilles, de basses faveurs, des pistons, et non par son mérite, l'épreuve de la visite lui est en général fatale. Il bafouille, confirme, marmonne des commentaires sans intérêt ou, au contraire, pour affirmer l'autorité qu'il n'a pas, vitupère, lance un diagnostic auquel personne ne croit, y compris lui-même, mais l'assène avec violence et mépris, impose qu'on modifie le traitement en conséquence.

Certains patrons sont incurablement mauvais. Leur réputation les précède. Seuls les internes les plus mal classés au concours se hasardent ou se résignent à choisir leur service. D'autres ont perdu pied peu à peu. Après avoir été de grands médecins, ils ont sombré dans différents vices, la paresse, l'alcoolisme, la dépression, et ne sont plus que l'ombre d'eux-mêmes.

L'un de mes premiers maîtres, le professeur L*, était un homme de ce genre, brillant clinicien à trente ans, perdu de boisson, de tabac et de mondanité à soixante. Avant d'entrer avec sa cour dans la chambre d'un patient, il s'arc-boutait contre la porte, tirait une profonde bouffée de sa gitane, comme un plongeur qui prend une dernière inspiration avant d'affronter une longue apnée, et écoutait distraitement le résumé qu'on lui faisait du cas. Il poussait alors brutalement la porte et le patient avait la surprise de contempler en chair et en os le grand homme qu'il avait si souvent vu à la télévision. L'inattendu de cette apparition, l'aura médiatique du professeur, son empressement feint, tout était fait pour enfoncer les défenses du patient, altérer son jugement et atténuer la gravité de ce qui allait suivre. Dans l'état où il était, le vieux patron n'avait plus grand-chose à dire d'intelligible, son esprit était embrumé et il butait sur les mots. Il s'en sortait en remplaçant ses qualités de jadis par un enthousiasme qui se voulait sympathique, une jovialité d'alcoolique qui faisait d'abord bon effet, avant de donner lieu à des quiproquos atroces.

Je me souviens par exemple de ce patient auquel le patron annonça doctement, mais à sa manière enjouée et roborative, qu'il avait bien étudié son dossier. Voilà : il pouvait se réjouir car sa tumeur était opérable et l'intervention aurait d'ailleurs lieu très bientôt. À cette annonce, le malade marqua des signes d'agitation, mais il ne parvint pas à interrompre le flot de paroles du mandarin qui tenait à le rassurer. À l'accélération de son débit, à ses gestes nerveux, on comprenait que le patron, de toute manière, n'avait pas envie que s'engage une conversation. Les regards de noyé qu'il jetait vers la porte montraient qu'il commençait à ressentir douloureusement le besoin d'une cigarette et d'un petit verre. Après une dernière pirouette, affectant un air affairé et bourru, il tapota la main du patient et visa la porte de sortie. C'est alors que le malade put aligner deux mots.

« Mais, Professeur, osa-t-il, j'ai *déjà* été opéré la semaine dernière. »

Personne, pour autant, ne se serait avisé de mépriser cet illustre professeur. Car au-delà de sa gloire médiatique et de sa faiblesse humaine, chacun sentait que demeuraient en lui une immense intelligence et une intuition rare de la maladie. Quand il était à jeun et en forme, je l'ai vu, d'un coup d'œil, redresser magistralement des diagnostics. Et certains jours, il était capable, pourvu que le malade acceptât qu'il fume dans sa chambre, de mener un long examen des fonctions complexes du cerveau comme le langage et la mémoire. C'étaient pour nous à la fois d'inoubliables leçons pour notre pratique future et des séances de mime irrésistibles de drôlerie et de malice.

D'autres patrons, heureusement, n'atteignaient ni ces sommets de virtuosité ni ces abîmes de déchéance. Ils étaient efficaces et précis et c'était déjà beaucoup. Certains aimaient discourir sur des maladies rares. D'autres préféraient partir d'un cas banal en apparence mais, en creusant, lui rendaient sa complexité. L'un d'eux avait coutume de dire qu'il est plus nécessaire (et plus difficile) d'intéresser un auditoire à un SDF entré pour une banale cuite qu'à une forme rare de lupus ou de maladie de Horton. Dans le premier cas, il était question d'un malade, dans l'autre d'une maladie. Ce dernier exercice était une question de science, l'autre une affaire humaine, une enquête.

Dans leur démonstration clinique, certains donnaient d'ailleurs dans le genre policier, délicat, à la Sherlock

Holmes, ou bourru, façon commissaire Maigret. Ils étaient capables de faire passer un patient aux aveux, calmement, en le poussant simplement dans ses retranchements. Et nous apprenions soudain grâce à lui le détail qu'on nous avait caché et qui donnait la clef de l'énigme. La maladie, pour ces fins limiers, était comme un coupable qu'il s'agit de démasquer, coupable dont le patient est à la fois la victime et, à son insu, le complice.

D'autres mettaient dans leur enseignement une fantaisie que l'esprit de sérieux d'aujourd'hui ne permettrait plus. Ainsi ce professeur de sémiologie qui réunissait ses étudiants autour d'un verre d'urine qu'il brandissait à la lumière.

« L'examen d'un patient, comme de ses humeurs, requiert la participation de tous nos sens », clamait-il.

Il faisait jouer un rayon de soleil sur les parois du verre ; le liquide jaune s'irisait, prenait des teintes subtiles. Il le portait ensuite vers son nez et en humait l'odeur. Puis, très vite, devant les assistants qui retenaient leur souffle, il plongeait un doigt dans le verre, l'en sortait, le portait promptement à sa bouche. L'air inspiré, avec de petits claquements de langue et une grimace d'amertume, il semblait se perdre dans une docte remémoration de saveurs. Il laissait enfin paraître le relâchement de celui qui est parvenu à mettre un nom sur une perception éphémère et subtile. Alors, en silence, il tendait le verre à la personne placée à sa droite. C'était en général le plus obséquieux de ses élèves, décidé à se faire bien voir de son maître, quelque épreuve qu'il eût à subir. Le fayot prenait une contenance grave. Il soulevait le verre pour le contempler à la lumière, le humait puis, après une hésitation, y plongeait à son tour un doigt et le suçait. Il passait ensuite le verre à son voisin qui l'imitait. Quand l'échantillon avait ainsi parcouru tout le cercle des futurs praticiens, le professeur le reprenait. Il posait un regard amusé sur les jeunes gens livides et nauséeux qui s'efforçaient de ne pas laisser paraître leur dégoût.

« Mes chers confrères, reprenait-il avec un sourire méchant, je vous ai souvent répété que le premier de nos sens est la vue. Il doit exercer son empire sur tous les autres : l'essentiel est l'observation. Or, si vous m'aviez bien observé vous auriez remarqué ceci : j'ai plongé dans ce verre mon index, mais c'est mon médius que j'ai sucé... »

Cet enseignement magistral était adapté à un autre temps, plus proche de *La leçon d'anatomie* de Rembrandt que de l'ère du scanner et de la biologie moléculaire. C'était un temps impitoyable où la médecine affrontait la maladie sans espoir de la vaincre. Le verdict naturel s'appliquait dans toute sa cruauté et le malade était en pratique un condamné, au mieux en sursis. Quelle que fût la rigueur du médecin, elle ne pouvait dépasser à l'époque celle de la maladie. De là venait sans doute la soumission complète dont faisaient preuve ceux que l'on appelait, à plus juste titre que jamais, des patients.

Je me souviens de ces interminables séances de présentation neurologique pendant lesquelles notre maître B*, par ailleurs fin lettré, grand amateur de Proust, manipulait sous nos yeux des malades sortis à grand-peine de leur lit. L'endroit était un véritable théâtre, avec une scène surélevée et plusieurs rangées de fauteuils couverts de velours rouge pour le public, entre vingt et cinquante personnes, médecins, infirmières, stagiaires de tout poil. Sur la scène, une chaise, pour le patron. Devant lui, debout, assis ou couché selon son état, un patient qui jouait sous les feux de la rampe son propre rôle. L'hémiplégique arrivait en clopinant et, afin que nul ne restât sans bien voir, le patron lui faisait répéter trois ou quatre fois son entrée. L'aphasique s'impatientait de ne pas trouver les mots pour répondre aux questions et finalement criait ceux qu'il avait réussi à faire sortir de son cerveau abîmé. Pendant qu'on lui tapait les réflexes, le paraplégique révélait au public indifférent — mais lui ne l'était pas — son sexe prolongé d'une sonde.

Nous connaissions notre maître et ses manies. Nous attendions avec gourmandise le moment où, glissant sa main sous la blouse bleue dont étaient revêtus les malades, il rechercherait un des signes sur lequel avaient porté ses travaux : la fameuse anesthésie testiculaire. C'était à vrai dire une rareté. Avec la disparition regrettable du tabès, c'est-à-dire de la syphilis tertiaire, on ne le rencontrait plus guère. Il s'agissait donc dans l'immense majorité des cas de ce qu'on appelle un signe négatif : sa valeur tient à ce qu'il n'est pas présent. En pratique cela signifiait qu'au moment où il s'y attendait le moins, le patient sentait — signe négatif — que le professeur était en train de lui pincer les couilles. Le grand cri de douleur et de surprise qu'il poussait ne manquait pas de susciter quelques sourires dans l'assistance.

La sémiologie, d'ailleurs, en souvenir de ces temps cruels, est semée de cris. On apprend ainsi le cri du Douglas, lorsque l'on touche, à l'avant du rectum, le cul-de-sac du péritoine enflammé. Le cri du ménisque s'entend quand on manipule le genou dans une certaine position. Quant au cri utérin, c'est celui que déclenche la curette lorsqu'elle racle la paroi de l'utérus...

D'autres manifestations, quoique moins bruyantes, n'en constituaient pas moins de très officielles et très régulières occasions d'humilier publiquement et en masse des malades souffrant parfois d'affections mortelles. Chaque année, un hôpital parisien organisait une véritable exposition de patients — réservée au corps médical mais ouverte bien au-delà de l'hôpital. Spécialisé dans les affections dermatologiques, l'établissement faisait l'étalage de ses plus beaux spécimens vivants. Psoriasis, eczémas géants, exanthèmes de tous acabits, mélanomes, papules, pustules, macules, j'en passe et des plus appétissants, étaient offerts à la vue intéressée des professionnels. En général, ces lésions n'étaient pas présentées brutes, mais traitées par la palette très riche des colorants dermatologiques ; violet de gentiane, vert de Crésyl, bleu de méthylène, éosine, teinture d'iode ajoutaient leurs notes gaies à la fantaisie créative de la maladie. La troupe bigarrée des patients prenait ainsi des allures de carnaval.

Aujourd'hui où le traitement de la douleur est devenu une priorité, où des cellules d'aide psychologique sont mises en place à tout propos, où se multiplient les chartes proclamant les droits du patient, l'évocation de ces époques barbares est presque inconcevable. Je ne suis pas certain pourtant que nous ayons beaucoup diminué les humiliations que subissent les patients, notamment à l'hôpital. Mais les médecins y prennent moins de part. Ils sont plus attentifs — ou plus surveillés

— que jadis. Reste le brancardier qui hurle dans son téléphone portable pendant qu'il transbahute d'une main le fauteuil roulant dans lequel un pauvre malade essaie de rester assis…

6

J'ai beaucoup aimé l'enseignement clinique. Rien ne
m'a donné aussi puissamment l'impression d'être transformé, façonné en profondeur par un savoir. Les matières
exposées dans les livres restent virtuelles, abstraites. Au
lit du malade, elles s'incarnent. Les connaissances
deviennent des perceptions, de véritables souvenirs personnels.

En même temps, l'empire que les médecins exerçaient à l'époque sur leurs patients — et qu'ils exercent
sans doute toujours mais en se retenant davantage d'en
abuser — me semblait intolérable. « Si vous n'êtes pas
capables de faire en sorte que vos patients sautent par la
fenêtre quand vous le leur demandez, alors vous n'êtes
pas un bon médecin », disait un de mes maîtres — par
ailleurs le plus doux et le plus respectueux des hommes.
J'ai toujours eu en horreur ce rapport de force.

Loin de moi l'idée de me présenter comme un humaniste congénital, plus clairvoyant que les autres. Si ces
pratiques me mettaient mal à l'aise, c'était moins pour
des raisons philosophiques que pour des motifs personnels et d'abord l'incapacité à exercer moi-même l'auto-

rité qu'on me donnait en exemple. J'ai toujours eu l'air plus jeune que mon âge et malgré toute la science dont je me croyais imprégné, il m'était difficile d'être pris au sérieux. « Il faut avoir jeune chirurgien, vieux médecin et riche apothicaire », disait-on autrefois. Lorsque, beaucoup plus tard, après avoir traversé d'autres mondes, je suis retourné à l'hôpital, la cinquantaine m'avait donné ce que j'avais passionnément désiré à trente ans. Vieux médecin... Les patients m'écoutaient et, quoique ma compétence n'eût pas progressé, bien au contraire, ils étaient prêts à accepter sans murmurer tous mes oracles...

Une autre raison qui me faisait détester la tyrannie médicale était qu'elle s'exerçait également sur moi. Dans le monde féodal de l'autorité professorale, le patient, quoi qu'il en paraisse, n'est pas au bas de l'échelle. Il est méprisé pour son ignorance, mais on lui fait quand même crédit d'avoir apporté en cadeau son corps souffrant. Même si le rêve secret de beaucoup d'universitaires est de ne soigner que des maladies, ils sont contraints de subir *aussi* l'être humain qui la porte. D'une espèce certes venimeuse, le malade ne peut donc pas tout à fait être considéré comme un nuisible.

Il en va (il en allait, soyons optimistes) tout autrement de l'étudiant. À son ignorance qui le distingue encore à peine du commun des mortels — donc des malades — l'étudiant en médecine ajoute sa turbulence, son exigence, son entêtement à poser des questions, à vouloir être utile. Et tout cela au service d'un projet quasiment criminel : celui de devenir à son tour médecin, c'est-à-dire faire concurrence à ses aînés, leur ravir leur clientèle après les avoir contraints à partager leur savoir. On conçoit qu'une telle engeance eût été longtemps soumise à une surveillance toute particulière. Dans les années où j'étais étudiant, nous avions par surcroît le mauvais goût d'être une génération à la fois pléthorique et révolutionnaire (j'ai commencé mes études à la rentrée 1969). La menace que nous faisions peser sur l'institution à laquelle nous prétendions nous intégrer était extrême, aux yeux des mandarins de l'époque. Submergés par la première vague (dans laquelle je me trouvais), les pontes de la profession n'ont pas tardé à réagir, mettant en place un *numerus clausus* extrêmement rigoureux. Pour des générations aussi nombreuses, les places offertes devinrent ridiculement rares. Trente ans plus tard, on devait le payer d'une crise démographique dont on commence à peine à mesurer les effets…

Nous qui étions montés dans la barque, il était trop tard pour nous jeter par-dessus bord. Mais au moins pouvait-on nous faire sentir que nous n'étions pas les bienvenus. Pendant toutes mes études, nos rapports avec les médecins — particulièrement à l'hôpital — ont été marqués par deux attitudes contradictoires qui pouvaient parfois coexister dans une même personne. D'une part, nous avons connu des maîtres encore habités par l'ancienne tradition, désireux de partager leur savoir, et pour qui enseigner les plus jeunes représentait un devoir sacré. De l'autre, nous avons eu à subir le mépris, l'arrogance, la brutalité de ceux pour qui nous étions un fardeau et un danger.

Pour mes premières expériences d'étudiant à l'hôpital, j'avais évidemment choisi de faire un stage en chirurgie cardiaque. La discipline existait à peine : elle venait de prendre son autonomie par rapport au vaste ensemble de la chirurgie dite viscérale — où dominait la chirurgie digestive. L'année précédente, quand avait été pratiquée la première greffe cardiaque en France, le patient avait été hospitalisé dans une chambre semblable à celles où l'on soignait les opérés de l'appendicite. Depuis lors, la chirurgie du cœur bénéficiait de nouveaux locaux bien à elle.

En y entrant, j'avais un peu l'impression de réaliser un rêve — plus vite que je ne l'aurais cru — : celui de rejoindre Christiaan Barnard. Ce fut une terrible désillusion.

Le service des opérations cardiaques était un milieu dur où se mêlaient espoirs fous et souffrances inouïes, progrès technique et barbarie au quotidien. Rien n'y était acquis sans douleur ni angoisse. Certains résultats tenaient du miracle. Des patients revenaient en consultation, radieux, pour faire entendre le tic-tac sans défaut de leurs valves neuves. Mais d'autres mouraient à toutes les étapes du chemin de croix qu'on leur avait proposé : certains avant même d'être opérés, d'autres sur la table, d'autres encore dans les suites opératoires immédiates. Je me souviens d'un homme qui venait de subir un pontage coronarien, technique encore balbutiante, mais qui donnait de bons résultats chez ceux qui survivaient à l'opération et passaient les premiers jours critiques. Il était debout, tout habillé, dans le couloir, à côté de sa petite valise. Il avait le regard las mais vainqueur de celui qui revient vivant d'une campagne militaire lointaine. Ce soir, il dormirait chez lui avec son cœur irrigué de neuf. Je traversai le couloir sans lui prêter trop d'attention. Juste un échange de sourires. Quelques instants plus tard, il s'écroulait à terre. Mort subite. Une éventualité statistique qui n'était pas négligeable à l'époque...

Dans ce monde cruel, les rapports humains étaient extrêmement durs. Le professeur et sa femme, chef anesthésiste, donnaient le maximum d'eux-mêmes et exigeaient autant de chacun. L'urgence conférait un ton impérieux à leurs ordres. Et la mort qui rôdait rendait dérisoire toute plainte, toute récrimination. Les patients étaient traités durement mais pour leur bien. Les infirmières étaient traitées durement mais on avait besoin d'elles. Les médecins étaient traités durement mais ils donnaient tout pour le service et maniaient eux aussi le fouet sur leurs subordonnés. Le seul qui fût traité durement sans mériter ni respect, ni reconnaissance, ni crainte et sans pouvoir passer ses nerfs sur personne, c'était l'étudiant. La méchanceté, qui circulait comme une vapeur à haute pression dans la tuyauterie humaine du service, trouvait dans le pauvre externe une innocente soupape : tout le monde pouvait lâcher sur lui un jet brûlant de mauvaise humeur. L'occasion en était fournie à tout propos. Ce qu'il écrivait dans les observations, sa façon maladroite de se tenir dans les couloirs, gênant la circulation des médecins ou des infirmières, ses questions stupides quand il osait encore en poser, tout était matière à moquerie méchante, à insulte. Mais le grand moment où se fédéraient toutes les haines pour ressouder le groupe contre un bouc émissaire était le rituel de l'entrée de l'étudiant en salle d'opération.

Le théâtre opératoire de cette chirurgie spectacle était peuplé d'un petit nombre d'acteurs (le professeur, la panseuse, l'anesthésiste... le patient) et de beaucoup de figurants, chacun à leur poste, dans leur blouse verte stérile jouant leur rôle avec conviction sous la lumière cruc des Scialytiques. L'opération commençait, atteignait son acmé — au moment par exemple où, guidée par d'innombrables fils passés dans un anneau de chair, on commençait à descendre la valve nouvelle au plus profond du cœur ouvert. La tension baissait alors d'un cran. Le plus dur était passé. Il était légitime de se détendre un peu. Le patron donnait l'ordre de faire entrer l'étudiant qui attendait dehors.

Pendant près d'une heure, il lui avait fallu se frotter les mains dans tous les sens avec des savons stériles et des brosses sous la surveillance sourcilleuse d'un infirmier de bloc. Ensuite était venue la silencieuse attente. Je crois avoir acquis à ces occasions une idée assez précise de ce qu'ont pu ressentir les martyrs chrétiens au moment d'être jetés aux lions. Le plus effrayant n'était pas la perspective de la mise à mort, mais la certitude que cette agonie serait publique et réjouirait une foule avide de spectateurs.

La porte de la salle d'opération s'ouvrait soudain, libérant le misérable gladiateur dans l'arène. Aveuglé par la forte lumière, l'étudiant avançait, les mains en l'air comme un malfaiteur tenu en respect. Plusieurs dizaines de paires d'yeux immobiles, mauvais, le fixaient. Le silence était total. Là-bas, au centre de la grande pièce, trônait le professeur, penché sur le puits sanglant où il avait ouvert son chantier. Le but était de prendre place à sa droite, but théorique car, pour y parvenir, il fallait triompher d'une série d'épreuves quasiment insurmontables.

D'abord s'avançait une panseuse, un grand tambour d'acier à la main, qu'elle ouvrait sous le nez du pauvre

externe. Dedans, compressées, compactées par la stérili-
sation, étaient pliées des blouses vertes réduites à l'état
de cubes. Il fallait en saisir une, la dérouler et l'enfiler
sans toucher le côté extérieur. À la moindre faute reten-
tissait le verdict : « dehors », et toute la salle explosait du
rire qu'elle retenait. Lors de ma première entrée, j'étais
si tremblant qu'à peine après avoir saisi une blouse, je
l'avais lâchée par terre. Ma sortie n'en avait été que plus
infamante — pour moi — et plus hilarante — pour les
autres. À mesure que progressait le stage, on parvenait à
enfiler la blouse, à mettre correctement les gants, à circuler entre les assistants sans les toucher et parfois
même à rejoindre la place désignée près du patron.
C'était avec l'obligation de ne rien faire et de subir pendant de longues heures les plaisanteries acerbes, les
commentaires déplaisants qu'il réservait à l'étudiant
mais sans s'adresser à lui, pour le seul profit de l'assistance goguenarde. Un éternuement, une toux, un geste
ébauché pouvait encore provoquer notre expulsion et je
ne peux me vanter d'avoir assisté à une opération complète. Chaque fois, plus ou moins tôt, j'eus à subir l'humiliant rituel de l'expulsion, au point que je m'efforçais parfois de faire une faute dès le début afin de hâter le terme
inéluctable de ce calvaire.

On me dira que rien de tout cela n'était, au fond, bien
méchant. Peut-être même mon orgueil de jeune préten-
tieux a-t-il subi là une ponction de nature à le faire heureusement dégonfler. Reste que cette première expérience m'a suffi pour prendre à jamais en horreur la
tyrannie médicale et me placer d'instinct du côté des
patients. J'ai acquis tôt une haine inexpiable des mandarins, de leur supériorité de caste, de leur arbitraire. Ils

pouvaient être, à leur gré, humains, charmants, respectueux ou, au contraire, odieux et méprisants. L'essentiel était que ces dispositions ne dépendaient que de leur bon vouloir, sans contrepoids ni limite.

Je découvris aussi la vraie nature de la médecine moderne et technicienne, que symbolisait assez l'univers déshumanisé de la salle d'opération. Je mesurais tout l'écart qui existait — et existerait de plus en plus — entre cette médecine froide, scientifique, enfermée dans la citadelle bien protégée de ses « plateaux techniques », et la médecine de mon grand-père, littéraire, humaine, désarmée, engagée, loin de ses bases, sur le front des guerres, dans la solitude des campagnes, au cœur des ténèbres des pays lointains. Ainsi m'apparut le malentendu fondamental qui compromettait ma vocation.

Cette prise de conscience précoce aurait pu — aurait dû — m'inciter à ne faire qu'un séjour bref en médecine, voire à changer de voie. Or, ce fut le contraire qui se produisit. Je m'engageai encore plus dans les études, je décidai de passer les concours qui ouvraient les carrières universitaires, je me gavai de savoir technique. Paradoxe que je ne m'explique pas bien. Fut-ce une pente naturelle, un effet du conditionnement que subissaient tous ceux qui entrent dans une institution dont leur vie quotidienne est tout entière emplie ? Fut-ce une décision masochiste et l'influence de ce diable qui nous fait persévérer dans nos erreurs humaines ? Je crois plutôt que je cédai à un mirage, je me laissai tromper par une illusion prétendument salvatrice qui tenait en un mot : internat.

Il me semblait que ma condition d'étudiant était misérable parce que trop humble et trop inférieure. En montant dans la hiérarchie, j'entretenais le fol espoir de dominer un jour ma pratique, d'être respecté, de choisir la médecine qui me conviendrait. Dans la société de caste du corps médical, comme dans les sociétés secrètes, chaque grade donne à ceux qui ne l'ont pas atteint l'impression qu'il recèle des secrets essentiels et qu'il confère une maîtrise libératrice. À la plèbe des étudiants s'opposait l'élite issue de l'internat. L'enseignement magistral de qualité, celui que j'avais appris à aimer mais que je trouvais si rarement, lui était sans doute réservé. Aucun maître ne pouvait donner son temps à la masse, ni son esprit au premier venu. Les internes, peu nombreux et choisis, pouvaient, eux, prétendre au titre enviable de disciple.

L'autre intuition qui m'attirait vers l'internat était que ce concours fondé par Napoléon était le gardien de cette médecine humaniste et littéraire à laquelle j'avais voulu me destiner. Des cuistres pouvaient bien créer des spécialités nouvelles, à base de biologie, de chimie, de sciences, le grand savoir clinique, celui qui rattachait la médecine à sa plus lointaine tradition, celui-là, l'internat en était le dépositaire.

La matière même de ce concours était traditionnelle. Il fallait, pour le passer, savoir lire et écrire sinon même composer. Cela n'avait plus rien à voir avec l'univers desséché des « questions à choix multiples », épreuves pour analphabètes auxquelles j'avais honte d'être soumis. L'internat, c'étaient les grandes descriptions cliniques, médicales et chirurgicales, l'anatomie humaine, bref les fondamentaux d'une culture. Et, à la sortie du concours, il y avait l'obligation de prendre à l'hôpital un poste non plus d'observateur mais d'acteur. Engagement, culture, je n'avais décidément pas renoncé à découvrir ce qui m'avait fait choisir ces études. En somme, si je m'enfonçais plus avant dans la médecine, c'était dans le but d'en retrouver les racines humanistes. Le paradoxe qui était en moi, je le prolongeais par ce qui me semblait être une ruse et qui devait seulement se révéler une erreur. J'étais comme ces explorateurs qui, après avoir pénétré dans des montagnes qu'ils pensaient traverser facilement pour rejoindre l'Eldorado, s'obstinent dans leur errance et se perdent encore plus profondément dans des jungles opaques.

Avec le recul du temps, je mesure combien en effet j'avais tort de m'entêter de la sorte. Pourtant, je sais aussi que seules nos erreurs nous construisent. L'énergie que je mettrais un jour à me libérer du joug médical, je la dois à la violence avec laquelle je m'y suis d'abord soumis.

Mais n'anticipons pas. Pour l'heure, j'ai vingt-trois ans et je passe l'internat. Autant dire que j'entre au bagne.

7

Tous les concours sont plus ou moins stupides. Mais je n'en connais aucun qui fasse aussi peu place à l'intelligence que l'internat des hôpitaux. La grande affaire, pour y réussir, c'est d'apprendre et d'apprendre encore. Des masses de dossiers s'accumulent devant le candidat et il doit être capable, comme un perroquet, de réciter sans rien omettre n'importe laquelle des « questions » qu'on lui pose.

On appelle « question d'internat » un sujet de pathologie, d'anatomie ou de biologie. « Infarctus du myocarde » est une question, par exemple. Il faut se procurer — c'est en vente libre — une réponse bien construite (une quinzaine de pages en moyenne), l'apprendre et la réciter. Il n'y a aucune finesse ni de contenu ni de plan. Tout au plus peut-on se voir demander non pas « infarctus du myocarde » mais « complications de l'infarctus du myocarde ». On doit alors commencer par la partie de la question intitulée « complications » et mettre le reste ensuite...

L'épreuve est à ce point abstraite qu'il n'est pas rare de voir des candidats réciter parfaitement leur question mais oublier l'essentiel : donner par exemple toutes les formes cliniques de l'infarctus jusqu'aux plus rares mais ne pas mentionner comme symptôme principal... la douleur thoracique.

Je n'ai pas de mérite à dire que j'ai beaucoup aimé ce concours et que j'y ai excellé. Les exercices m'ont toujours rebuté. Mon esprit n'est pas fait pour utiliser des outils, comme dans les mathématiques. En revanche, j'aime les beaux textes, habitué depuis l'enfance à les déclamer — pour moi-même.

J'ai appris les questions d'internat comme des tragédies. En prenant soin d'y mettre des citations cliniques particulièrement théâtrales, je transformais ces dissertations arides en petits drames pleins de vie. Ainsi l'embolie pulmonaire commençait-elle par la phrase célèbre qui décrit la phlébite de la jeune accouchée : « La femme se lève, pousse un cri et meurt. » La péritonite s'annonçait par un bruit de cymbales, bien résumé par Henri Mondor : « Le coup de tonnerre dans un ciel serein. » Ainsi se succédaient « le long frisson solennel » de l'accident transfusionnel, « les sueurs podaliques » (à l'odeur de pied...) du delirium tremens, « l'anesthésie en gants et chaussettes » de la polynévrite...

Certaines tirades, malgré la gravité du sujet, tenaient plutôt de la farce. Ainsi le cancer du testicule, qui commence par une augmentation de volume de l'organe, était décrit par ces mots : « Après une période de légitime fierté, le patient s'inquiète et consulte. » Et la plus digne de Molière restait : « Pisser ou mourir ! tel est le choix, pour ce malade. » Il s'agissait de la rétention aiguë d'urine...

Je tâchais de donner à toutes les questions, même sans disposer de formules adéquates, une tonalité dramatique et parfois drolatique. De la sorte, le côté fastidieux de l'exercice était atténué. Restaient des saynètes plus ou moins comiques, de véritables « tableaux » cliniques signés par Courteline plus souvent que par Corneille. Bref, je ne prenais pas l'affaire très au sérieux. C'était le meilleur moyen de réussir. Je fus nommé à un bon rang dès mon premier concours.

Ce qu'on a appris à vingt ans ne disparaît jamais de la mémoire. S'il m'est donné de vivre très vieux, et de tout oublier, je suis certain que l'hématome extra-dural et sa symptomatologie en trois temps, l'ulcère gastro-duodénal avec sa douleur rythmée et périodique, le « coup de hache externe » de la luxation de l'épaule reviendront me hanter. Comme de vieux souvenirs de jeunesse, toutes les maladies sont enfouies quelque part en moi, pittoresques et familières. Là où d'autres ont enfermé des vers ou des paysages, j'ai conservé une pleine besace de malheurs qui ne me sont pas — encore — arrivés.

Chaque fois que j'ai interrompu ma pratique médicale (et jusqu'à aujourd'hui où je l'ai tout à fait arrêtée), il s'est trouvé des gens pour me dire : « Maintenant, bien sûr, vous ne pourriez pas reprendre », « Avec le temps, vous devez avoir tout oublié ». Cependant je sais, pour en avoir fait l'expérience, que c'est tout à fait faux. La médecine est restée là, dans mon disque dur, sinon tout entière du moins la part assez vaste qui constituait le programme de l'internat.

J'en ai pris conscience très vite, dès le concours passé. Et j'ai ressenti une impression immédiate de liberté.

Après une telle épreuve, j'étais devenu si profondément médecin qu'il me serait — enfin — possible de faire ce que je voulais. Aussi loin que j'irais sur d'autres voies, quelque chose m'était à jamais acquis. Je pouvais galoper, courir, suivre les pistes les plus escarpées, je ne risquais pas de perdre mon bagage, car il faisait désormais partie de moi.

Cette sensation était évidemment paradoxale. Car peu après les résultats du concours, je dus prendre mes fonctions à l'hôpital et la charge en était si lourde qu'elle me laissait peu de temps pour m'en échapper. Si j'étais intérieurement libéré, il me restait encore à ôter les chaînes qui m'entravaient au-dehors. Cela prit quelques années...

En attendant, pour le meilleur et pour le pire, mon statut avait changé avec l'internat. Je n'étais plus la dernière roue du carrosse comme pendant mes stages d'étudiant. Bien sûr, je n'étais protégé ni des engueulades mandarinales ni des exigences du service. La hiérarchie stricte de l'hôpital s'imposait plus que jamais à moi, mais, au moins, j'y occupais une place définie. On ne pouvait ni m'ignorer ni m'oublier. Cette importance nouvelle fut d'abord un motif de fierté, mais j'en suis vite venu à regretter la douce irresponsabilité de l'étudiant que j'avais été.

Dans le système hospitalier, l'interne est le pivot. C'est lui qui inscrit les prescriptions sur le sacro-saint cahier destiné aux infirmières. Il reçoit les malades entrants, les examine et porte le premier diagnostic. Responsable de tous les choix essentiels, il doit ensuite pouvoir se justifier devant les assistants et le patron. Le moindre de ses retards est remarqué dans la minute.

Son absence est un séisme qui secoue tout le service. L'après-midi, quand les visites sont faites, les étudiants repartis à leurs cours, les assistants en ville pour leurs consultations, le patron assoupi pour sa sieste, les couloirs vides, l'interne est le seul à rester disponible. C'est vers lui qu'on se tourne pour répondre à toutes les questions, soulager toutes les angoisses, recevoir les familles.

Jamais je n'ai eu à ce point l'impression que l'on me volait entièrement ma vie (sauf peut-être depuis que je suis ambassadeur...). Du matin où je me levais, plein de toutes les idées qui nourriraient un jour mes livres, au soir où je me couchais, saturé d'images, de stress et de fatigue, je ne m'appartenais plus. Mon esprit était une sorte de lieu public que traversaient, piétinaient, occupaient des foules dépendantes, suppliantes, arrogantes.

Dans un premier temps, cette annulation du moi n'est pas trop douloureuse. Pour l'équilibrer, le jeune interne dispose de nombreuses compensations narcissiques. Être, à vingt-trois ans, maître quasi absolu de la vie et de la mort de dizaines de ses semblables ; sauver quotidiennement des vies ; recevoir des témoignages éplorés de reconnaissance ; représenter l'institution toute-puissante de la médecine ; s'entendre appeler « docteur » ; apaiser les douleurs et les angoisses comme un faiseur de miracles qui impose les mains, tout cela ne laisse pas d'être grisant.

La machine hospitalière répond à la moindre sollicitation tel un immense paquebot que l'on sent vibrer sous ses pieds. D'un trait de plume, l'interne déclenche les examens complémentaires les plus coûteux, met en branle le système complexe de la radiologie, de la biologie, des consultations spécialisées. Un mot, inscrit sur un cahier, impose à trois équipes de poser des perfusions et d'administrer des drogues efficaces et donc dangereuses. Au début, on hésite ; je me souviens d'avoir prescrit les digitaliques par demi-ampoules et les neuroleptiques à doses ridicules. Ensuite, on prend confiance. On s'entend commander, comme un général à la bataille : « Faites-lui passer six ampoules en quatre heures... » Et l'ennemi, en face, cède. On voit reculer la maladie, la souffrance, la mort. On obtient de belles victoires. Il y a des pertes, bien sûr, comme dans tous les combats. Des patients restent sur le carreau. Mais, pris par l'excitation de la lutte, on n'a pas le temps de s'apitoyer et l'on court vers d'autres feux.

J'ai gardé le souvenir d'une de mes premières patientes, atteinte d'un cancer en phase terminale qui avait envahi ses os. Il suffisait de la bouger dans son lit pour provoquer une fracture épouvantablement douloureuse. Un jour, j'ai senti, pendant que je la redressais avec une infirmière, son humérus se briser sous mes doigts. Je n'avais pas osé jusque-là utiliser les médicaments antidouleur à très forte dose. J'avais peur des traitements. Je ne savais pas encore quels monstres sont les maladies. Pour se battre contre elles, il ne faut pas montrer trop de retenue. Si l'on a des armes, on ne doit pas hésiter à en faire violemment usage. Cette femme avait trop souffert parce que je l'ignorais encore. Au moins son agonie a-t-elle servi à me l'apprendre.

Mon premier poste d'interne, je l'ai pris dans un service où existaient toujours des salles communes. Le décor était tout droit sorti du XIXᵉ siècle et même de plus loin. Sur certains tableaux qui représentent les hospices du Moyen Âge, j'ai reconnu la même promiscuité. La salle dont j'avais la charge était une vaste pièce carrée, haute de plafond, conformément à l'enseignement des anciens hygiénistes qui voyaient dans le manque d'air et de lumière la cause de nombreuses affections. Au centre, sur le carrelage, on distinguait encore la trace du poêle qui réchauffait la pièce au siècle précédent. Il était désormais remplacé par des radiateurs. Je faisais ma visite en commençant d'un côté et en tournant dans le sens des aiguilles d'une montre, lit après lit. Les patients et plus encore les patientes (il y avait une salle d'hommes et une autre de femmes) faisaient mine de somnoler ou de lire. En réalité, à part ceux en qui la maladie avait déjà tué la curiosité, chacun écoutait, observait les péripéties de ma visite, faisait son miel des moindres détails. Si je regardais avec un peu trop d'insistance une nouvelle « petite bleue » (ainsi appelait-on les élèves infirmières), un frisson de connivence passait de lit en lit, fol espoir que se déploie en public une idylle naissante. Chaque matin, alors que je m'enquérais de la façon dont ils avaient passé la nuit, mes patients examinaient mon teint et ma coiffure, mon degré d'éveil et mes étourderies. Les plus audacieux livraient leur diagnostic : « Vous n'avez pas l'air d'avoir très bien dormi, docteur »…

Avec un instinct très sûr, les malades flairent le pouvoir. Ils savent que son détenteur ultime est le patron. Comme il passe rarement, il n'est qu'un recours lointain et donc rarement utile. Ils ont compris que la piétaille des étudiants et autres stagiaires est quantité négligeable dans le fonctionnement du service. Ils peuvent intercéder mais non décider. Il est inutile de faire trop d'effort avec eux. Les infirmières ont une puissance redoutable. Il faut les amadouer afin qu'elles ne fassent pas un usage trop rude des armes dont elles disposent. Mais le vrai, le seul pouvoir, celui du quotidien, des grandes décisions et des petits privilèges (permission de sortie, restriction de visites, régime alimentaire), celui-là est entre les mains de l'interne.

L'exercer est un vertige, une drogue pour certains, en tout cas, au début du moins, un plaisir. Les heures d'études, les nuits de veille, l'angoisse des examens, tout est justifié a posteriori par l'emploi que l'on fait de ses connaissances auprès des malades. Chaque situation de la vie quotidienne convoque un chapitre, un paragraphe, une ligne de l'énorme programme que l'on a ingurgité. Diagnostics, pronostics, traitements, tout est là, en vous, prêt à trouver son emploi dans les situations toujours nouvelles auxquelles la pratique vous confronte. Face à un problème, les réponses sortent automatiquement, comme la voix d'un oracle qui serait désormais enfoui en vous et dont vous seriez devenu la bouche d'or.

Poste après poste — l'internat dure quatre ans —, j'ai fait quotidiennement l'expérience de cette puissance dont il est d'autant plus légitime de jouir qu'on en fait usage pour le bien d'autrui.

À ses heures libres — les repas — l'interne prolonge cette vie de monarque dans un lieu où il règne aussi en maître : la salle de garde. Par prudence, cet espace de défoulement est en général situé un peu à l'écart dans l'hôpital. Il regroupe un réfectoire, une cuisine et des chambres. Les murs y sont couverts de fresques dans le goût obscène. Elles entremêlent avec souvent beaucoup d'imagination et de vives couleurs toutes sortes de corps et de sexes. Elles figurent une liberté dans laquelle les internes aiment se reconnaître, même si leur sexualité est bien loin de ces débauches. Les traditions s'imposent à tout « collègue » (ainsi les internes se nomment-ils entre eux, par opposition aux médecins non internes qui sont seulement des « confrères » et aux anciens internes plus âgés, qui sont désignés sous le vocable flatteur de « fossiles »). Les rituels sont un mélange d'usages monastiques et de gaillardise rigolarde. Le repas se passe tout entier sous l'autorité d'un supérieur élu (l'économe), un interne choisi par les collègues. Il lui revient de commencer à manger le premier, de donner la parole à ceux qui la demandent, d'infliger des châtiments quand il constate un manquement à la règle. C'est lui aussi qui décide des « batteries » : chacun frappe avec les doigts sur le rebord de la nappe — un drap de l'Assistance publique où se distinguent encore les taches indélébiles laissées par les patients... Chaque batterie se distingue par son rythme et honore une circonstance particulière. Lorsqu'elle est de nature égrillarde, l'économe peut recommander de battre une « vaginale ». Elle s'effectue avec deux doigts mouillés frappés en rythme contre la paume de l'autre main... Comme on le voit, ces traditions machistes ne sont pas encore très influencées par le politiquement correct...

J'ai eu le privilège d'être pendant un semestre l'économe de la Salpêtrière, c'est-à-dire un roi d'opérette dans ce petit monde braillard. J'en conserve un excellent souvenir. Rien ne donne mieux le sentiment d'appartenir à un ordre, d'être le combattant discipliné d'une cause ou d'une foi que ces moments de communion bruyante. Ils sont à la médecine ce que le bivouac est aux armées en campagne : le lieu d'une fraternité, un moment de bonheur arraché à la souffrance et à la mort.

Paradoxalement, ces rituels d'initiation, cette inclusion officielle et grand-guignolesque dans un corps, peut-être parce que j'ai accepté de m'y soumettre totalement, m'ont aidé à m'en détacher. J'aimais ces moments de communion, mais sans jamais cesser de les regarder en quelque sorte de l'extérieur. Il m'aurait paru ridicule d'en être dupe. Il était bon de ressentir — de loin sans doute — ce qu'avaient pu vivre les chevaliers de la Table ronde, les conspirateurs carbonari ou les congrégations religieuses aux premiers âges des grands ordres monastiques. L'internat était pour moi l'expérience première de la fraternité. Mais tout cela valait plus par le rêve que dans la réalité. J'ai toujours éprouvé le plus grand mépris pour ceux qui, perdant tout recul, se sont vraiment sentis supérieurs à cause de cette onction et se sont comportés leur vie durant comme une élite. J'aimais cette enfance de chef, mais je continuais de détester l'état mandarinal, fût-il en gestation. Les collègues étaient mes frères, mais je perdais toute affection pour eux dès lors que je voyais paraître sur leur visage les stigmates du futur patron qu'ils étaient en train de devenir.

Ainsi, après une brève période de charme, la condition d'interne devint pour moi une source de frustration. Dans mon esprit, je concevais la médecine comme une activité de grand vent. Or, l'internat m'amenait chaque matin à arpenter le même couloir, à faire station devant les mêmes lits — peu importait que les patients qui y reposaient changeassent. Je me sentais comme un soigneur sur le bord du terrain, regardant le jeu — la vie — mais n'y participant pas.

Comment m'évader ? Je n'avais plus le temps de lire et à peine celui de rêver. Moi qui me livre volontiers à la divagation le matin, chaque jour dès mon réveil j'étais immédiatement saisi par la discipline de l'action. À huit heures, je devais être prêt, en blouse, disponible pour tout ce que l'on exigeait de moi. Je sentais mes songes mourir, mon esprit s'assécher, le muscle de l'imagination s'atrophier. Si je continuais ainsi, j'allais perdre toute fantaisie, tout ressort, toute vie.

Faute de vivre quoi que ce soit en dehors de l'hôpital, je cherchais la solution à l'intérieur du système. C'était, une fois encore, choisir la fuite en avant : travailler plus pour m'élever dans la hiérarchie. Devenir agrégé, patron, malgré la franche antipathie que j'avais pour cette caste. Quand je les observais, je voyais qu'ils étaient, eux, maîtres de leur temps. Certains travaillaient beaucoup ; d'autres avaient arrêté toute activité mais c'était leur choix. Il était clair qu'à partir d'une certaine altitude, la pesanteur cédait et on pouvait atteindre à la souveraineté de soi-même. Dans la prison médicale, la sortie était vers le haut.

J'étais tenté de suivre cette voie. À vrai dire, tout paraissait m'y destiner. Pourtant, je ne pouvais me résigner tout à fait à en payer le prix. Je sentais confusément qu'au bout de ce chemin, j'accéderais peut-être à la liberté, mais je ne serais plus capable d'en faire usage. Il me la fallait tout de suite, pendant qu'il en était encore temps et que j'étais plein d'idées, d'énergie, d'enthousiasme...

8

Les médecins l'avouent peu : ils ont une préférence pour certaines maladies. Ce n'est pas seulement qu'ils les supportent mieux ; ils les aiment. Ils sont en empathie avec elles et ces affinités inconscientes sont pour beaucoup dans le choix qu'ils font de leur spécialité.

À chaque maladie et même à chaque grande discipline médicale correspondent des types de patients qui, tout en restant singuliers, partagent certains caractères communs. La chose est bien connue pour les ulcéreux ou les victimes de maladies coronariennes, dont le profil psychologique a été cerné par d'innombrables études. Les hypertendus, les diabétiques, voire même les cancéreux présentent entre eux des similitudes perceptibles dès lors qu'on les observe d'assez près.

Est-ce la cause des maladies qui transparaît ainsi, ce que les anciens appelaient le « terrain » ? Ou, au contraire, cette parenté est-elle l'effet de la maladie qui, en soumettant les êtres aux mêmes souffrances et aux mêmes angoisses, les déforme sous ses coups, comme une tôle que l'on martèle ? Quoi qu'il en soit, à chaque changement de service pendant mon internat, j'avais le sentiment très vif de passer d'une tribu de malades à une autre. Chacune était d'ailleurs facilement reconnaissable à ses parures traditionnelles (grande cicatrice rouge fendant le thorax chez les opérés du cœur, bonnet de jersey posé sur un crâne rasé en neurochirurgie, badigeons de couleur des malades dermatologiques, etc.).

Très vite, il m'est apparu que j'étais plus attiré par certains groupes que par d'autres. Je n'ai par exemple jamais eu d'affinités avec les maladies digestives, que ceux qui en sont victimes me pardonnent. Je n'aime pas les organes qui se pressent dans un ventre. Foie, tripes, vésicules au contenu louche, tout cela me rebute. Et j'ai su très tôt qu'il me serait impossible de vivre dans un univers de renvois et de pets, de tuyaux bouchés et de filtres en panne. Il aurait certainement fallu que je m'en ouvre à un concessionnaire Freud. Je ne l'ai jamais fait. Mon salut, je l'ai trouvé dans la fuite : jamais de gastro-entérologie, de proctologie, d'urologie, ni rien qui s'y rattache.

Je n'ai pas eu plus de goût pour les insoutenables dégradations que les maladies dermatologiques font subir à l'enveloppe corporelle. Il faut avoir vu de grands psoriasis, des dermatites bulleuses géantes, des cancers de la peau creusant leur cratère dans les chairs pour mesurer l'horreur que ces maladies peuvent produire. Surtout, ce qui m'aurait découragé, c'est le caractère chronique, indéfiniment récidivant, de la plupart de ces maladies. Chaque triomphe prélude plus ou moins vite à une rechute.

Entre toutes, la discipline qui m'a le plus bouleversé, au point qu'il m'aurait été impossible de pratiquer, est la pédiatrie. L'enfant malade est pour moi un spectacle insupportable. Le sentiment d'injustice, de révolte qui m'étreint devant un petit être gravement atteint, non seulement me paralyse dans l'instant mais me poursuit, en pensée, pendant plusieurs jours. Au prix de ruses et de lâchetés dont je ne suis pas fier, je me suis toujours débrouillé pour ne jamais voir mourir un enfant. J'aurais été incapable de l'assister et c'est moi qu'il aurait fallu secourir. Cette fragilité n'est pas rationnelle. Elle renvoie, évidemment, à mes blessures d'enfant solitaire et délaissé. Mais l'explication véritable est sans doute plus complexe. Je vous en fais grâce d'autant plus volontiers que je ne la connais pas. Et je ne désire pas qu'on m'éclaire sur ce sujet.

Ces dégoûts, ces répulsions, ces blocages m'ont d'abord laissé penser que c'était la médecine que je n'aimais pas. Après tout, la maladie, par définition, n'est pas un état agréable. Sans doute fallait-il se résoudre à s'occuper de gens qui, dans leur détresse, n'étaient ni attirants ni sympathiques. J'étais prêt à me résigner quand je repris espoir en rencontrant sur mon chemin les asthmatiques. J'étais alors interne dans un grand service de médecine qui avait acquis une réputation toute particulière dans le domaine des allergies. C'est un peu bête à dire tel quel, mais les asthmatiques me plurent tout de suite.

J'aimais sans doute en eux, d'abord, qu'ils ne fussent pas visiblement malades. Hors de leurs crises, les asthmatiques ne portent pendant longtemps aucun stigmate de leur maladie. Et même au plus fort d'une attaque d'asthme, les symptômes qu'ils présentent sont assez discrets. Ils semblent seulement la proie d'une angoisse énorme. Le stéthoscope posé sur leur poitrine laisse entendre des sifflements de tempête, comme si un grand vent s'était levé au-dedans d'eux. Puis, comme dans les tempêtes, tout s'apaise peu à peu.

Cette maladie du souffle et des vents me parut avoir quelque chose de céleste et de providentiel. J'en étais presque venu à envier ceux qui étaient gratifiés de ce don. Quoique je visse clairement qu'ils souffraient pendant leur crise, j'étais persuadé que cette expérience pathologique appartenait à la catégorie admirable des grandes inspirations humaines, celle des prophètes et des démiurges. Cette intuition était renforcée par la personnalité de ces patients, sensibles à l'extrême, émotifs, rêveurs, créatifs.

Le seul reproche que je pouvais faire à cette maladie était sa monotonie de symptômes. À quelques formes cliniques près, l'asthme se manifeste toujours de la même manière. Il paie son caractère surnaturel par une expression primitive, fruste. Tout ce que ces malades ressentaient et avaient à dire ne pouvait s'exprimer que par un halètement désespéré, sans nuances. Ils délivraient leur inspiration subtile comme un messager hors d'haleine dont le souffle expirant ne parvient pas à former des mots.

Quand je découvris la neurologie, j'eus l'impression de rencontrer la même subtilité qu'avec les asthmatiques, mais sous des formes plus riches et plus variées. Le cerveau souffrant est un instrument complexe : son expression est infiniment plus élaborée que celle de l'archaïque soufflet de forge qui s'agite dans la cage thoracique.

Ce qui rend, à mes yeux, les malades neurologiques extrêmement attachants, c'est le fait qu'ils se sentent étrangers à leur maladie. Tout ce qui affecte le système nerveux est troublant et ne semble pas appartenir au corps. Un cœur malade bat plus vite, un poumon défectueux fait respirer plus fort, tousser, un intestin infecté provoque des coliques : rien de tout cela n'est inconnu. Chacun en a déjà fait l'expérience. Il manque à ces maladies l'originalité.

Mais sentir un membre s'engourdir, un bras bouger seul, voir ses propres mouvements se dérégler, la main rater l'objet qu'elle veut saisir, avoir la sensation que son champ visuel est amputé, suivre des lignes brillantes se dessinant au milieu de ce que l'on regarde, c'est vivre une expérience inconnue et même inimaginable. Le patient neurologique est un voyageur. Il raconte ses symptômes avec la même curiosité admirative que l'on emploie pour décrire un paysage lointain ou un peuple aux mœurs étranges. De tels malades connaissent évidemment, autant que les autres, la souffrance, l'angoisse, la fatigue. Mais le caractère propre de ce qui leur arrive est la surprise.

Pour cela, l'expérience inattendue que vivent ces patients et l'effroi qu'elle suscite en eux sont toujours atténués par une nuance d'admiration et presque de plaisir. Ils abordent le médecin comme un guide et lui demandent de venir les chercher au fond de ces terres inconnues.

Ce qui fait le prix du médecin pour ces malades, c'est d'abord qu'il les croit. Car le récit des expériences neurologiques suscite souvent dans l'entourage incompréhension, voire dérision. Je me souviens de cette femme qui accompagnait son fils de treize ans à ma consultation et disait rudement : « Eh bien, dis-le-lui donc, au docteur ! » Elle semblait vouloir lui faire avouer une bêtise d'adolescent. Le garçon restait tête baissée, penaud. Je l'encourageai et il se mit à me raconter comment, par moments, il lui arrivait de voir d'un côté passer une scène de film, toujours la même, des chevaux d'Indiens, croyait-il, qui roulaient dans la poussière, frappés par des balles de cow-boys. Dans l'autre moitié de son champ de vision, il continuait de percevoir le spectacle normal de ce qui l'entourait. La mère levait les yeux au ciel pour se dédouaner d'une telle invention stupide.

Il s'agissait en fait d'une forme assez rare mais bien connue d'épilepsie temporale. La crise électrique avait des effets localisés à une partie précise du cerveau. Elle activait des images tirées de la mémoire et les projetait dans la moitié du cortex occipital, tandis que l'autre moitié continuait de percevoir ce que lui transmettait la rétine (je simplifie…).

Les bizarreries de ce genre sont innombrables. Elles ont fourni la matière des best-sellers du docteur Sachs, *L'homme qui prenait sa femme pour un chapeau*, etc.

Aucune maladie ne m'a fasciné autant que celles qui affectent le système neurologique. Je souligne bien que ce ne sont pas ces maladies en elles-mêmes, dans leurs mécanismes intimes, biochimiques, génétiques ou autres, qui m'intéressaient. À la différence de beaucoup de mes collègues qui rêvaient de percer les secrets de ces désordres, j'étais surtout avide de les observer. Et plus encore, je ne me lassais pas d'entendre les patients en parler. L'étrangeté de leurs impressions m'attirait, j'aimais la richesse des descriptions qu'ils parvenaient à en faire, avec des mots bien différents selon leur milieu social, leur niveau d'éducation, leur aisance plus ou moins grande avec le langage.

L'examen neurologique, interminable, précis, à la fois ludique et subtil, me plaisait. Une interaction bizarre s'y passe entre le médecin et le malade. Le médecin suscite sur le corps qu'il examine des effets inattendus. Il découvre au patient des propriétés de son propre organisme qu'il ignorait. Un de ces sujets récurrents d'étonnement est le fameux réflexe cutané plantaire. Il se recherche en grattant la plante du pied et en observant le mouvement du gros orteil. À l'état normal, celui-ci fléchit de manière réflexe, ce qui surprend fortement le patient. Le médecin, lui, guette soigneusement le mouvement inverse, cette érection insolite du gros orteil, décrite par Babinski, son découvreur, comme « une extension lente et solennelle ». Elle signe une atteinte du grand faisceau moteur dit pyramidal qui commande le mouvement, à partir du cortex cérébral.

Cette étrangeté des symptômes neurologiques, il arrive que ni les patients ni l'entourage ne la perçoivent, notamment quand la maladie s'installe très lentement. C'est le médecin, dans ce cas, qui est étonné.

On a hospitalisé un jour dans un de mes lits à la Salpêtrière le P-DG d'une grande entreprise. Âgé d'une soixantaine d'années, de petite taille, chauve et rondouillard, l'homme était souriant, parfaitement courtois, soigné de toute sa personne et jusqu'à ses ongles qui étaient manucurés. Et pourtant, la veille, il avait provoqué un scandale en urinant au beau milieu d'une salle de restaurant, avec le même naturel jovial que s'il s'était soulagé au plus secret des toilettes pour hommes. Un rapide examen me permit de voir qu'il était gravement atteint. Le scanner pratiqué en urgence montra une vaste tumeur « en aile de papillon » qui envahissait les deux lobes frontaux en passant par le corps calleux, structure médiane qui joint les hémisphères. L'état clinique du patient était conforme à ce que pouvait laisser prévoir une telle lésion. Ses fonctions dites supérieures étaient considérablement perturbées : sa mémoire ancienne était à peu près préservée, mais plus rien ne se gravait — il oubliait tout au fur et à mesure. Son habileté à coordonner ses gestes pour enfiler un vêtement ou obéir à des consignes simples était réduite à zéro. Sa parole était d'une extrême pauvreté. Derrière la barrière de la courtoisie et des mots creux s'étendait un désert aride où l'expression, les idées, la compréhension même étaient décimées par la maladie. Et pourtant, la veille de son hospitalisation, cet homme vivait normalement. Il habitait avec sa femme et, plus incroyable encore, travaillait. Il est vrai qu'arrivé au faîte de sa carrière professionnelle, il ne lui revenait plus que de présider des conseils d'administration. J'appris que trois jours plus tôt, il avait fait un grand discours devant tout son personnel. Sans souvenirs, sans idées et sans mots, c'était une performance. Cela ne m'apprenait pas grand-chose sur son état. En revanche, que personne ne se fût aperçu de rien, qu'il eût même été ovationné par ses collaborateurs à la fin de son allocution, en disait long sur les qualités exigées par les grands patrons…

En reprenant l'histoire de ses symptômes, je découvris que la tumeur était sans doute d'évolution extrêmement lente et que tout avait commencé très progressivement plusieurs années auparavant. De là venait la tolérance immense de ses proches. Sa femme était évidemment consciente de la « distraction » de plus en plus grande de son mari. Mais elle avait construit autour de lui un système ingénieux de prothèses sociales, qui lui rappelaient à tout instant ce qu'il avait à faire. Quand il entrait dans sa salle de bains, il trouvait, collée au miroir, une étiquette portant ces mots : « Du dentifrice sur la brosse et ensuite tu te frottes les dents avec. » Dans sa penderie était épinglée une liste de gestes qui se terminait par la mention suivante : « Une chaussette à chaque pied et de la même couleur ». Je pensais à Macondo, le village de *Cent ans de solitude*, quand la maladie de la mémoire frappe la population, au point qu'il faille mettre autour du cou des vaches de petits écriteaux indiquant « je suis une vache et je donne du lait ».

Ainsi vont les symptômes neurologiques. Tantôt ils affolent et paniquent, tantôt ils infiltrent la vie quotidienne et s'y fondent pendant des années. Dans les maladies chroniques telles que l'Alzheimer, l'alerte vient moins du déficit de performance que de l'angoisse ressentie par le malade lui-même dans sa difficulté à remplir une fonction habituelle. Tandis qu'au contraire, dans les maladies du lobe frontal, une jovialité particulière, que l'on appelle la *moria*, ôte toute inquiétude au malade, le fait réagir par une bonne humeur trompeuse qui peut faire illusion longtemps. Jusqu'à ce que cette absence d'inhibition le pousse à commettre, avec le sourire, des attentats à la pudeur qui ouvrent enfin les yeux de l'entourage.

J'ai toujours été fasciné par cette frontière entre maladies du cerveau et troubles du comportement. Je trouvais passionnant d'observer comment certains médicaments, certaines maladies (de la thyroïde par exemple) peuvent induire des perturbations complexes de l'activité cérébrale. L'univers de l'épilepsie m'attirait également beaucoup. Dans sa forme simple de grande crise convulsive, elle n'est pas particulièrement intéressante. Mais nous avions à traiter beaucoup de formes localisées qui commençaient par ce que l'on appelle joliment une *aura* : pendant ces secondes qui précèdent la perte de conscience, le patient est à la fois le théâtre et le spectateur d'actes automatiques qui peuvent revêtir une forme très élaborée. On comprend qu'une telle maladie ait pu inspirer des créateurs et donner leur vocation à des prophètes. L'onde électrique parcourt le cerveau, d'abord en pleine lucidité, puis provoque une sorte de grand court-circuit qui ôte le patient au monde. Sa survenue est imprévisible. Elle frappe comme une foudre qui viendrait du dedans mais que les humains, dans leur désarroi, rattachent volontiers à des forces surnaturelles.

Ces maladies sont à cheval entre deux disciplines aujourd'hui séparées : neurologie et psychiatrie. Cela m'a amené à compléter ma formation par un enseignement et des lectures psychiatriques. Le monde de la maladie mentale légère, celui des névroses, des troubles de la personnalité, du mal-être ne m'intéressait pas du tout. En revanche, j'étais passionné par les études classiques consacrées aux maladies lourdes, celles qui présentent une interface évidente avec la neurologie. L'univers des psychoses et des troubles de la conscience me captivait. J'y trouvais des descriptions cliniques admirables, œuvres des écoles psychiatriques allemandes et françaises du XIXᵉ siècle. Kraepelin, Moreau de Tours, Charcot ont laissé sur ces maladies des textes d'une grande beauté. Ce furent, pour la plupart, des artistes et des visionnaires. Songez aux photographies de drapés du grand psychiatre Clérambault... Dans certaines dynasties de ces illustres médecins, on trouvait autant de savants que de peintres, comme chez les Lhermitte. Cette tradition de haute culture a perduré longtemps et j'en ai vu s'éteindre les derniers feux. En lisant les *Études phénoménologiques* d'Henri Ey, je trouvais la force d'expression, la puissance littéraire, l'humanité que j'avais pressenties en observant mon grand-père. Je recommande à tout le monde la lecture de ces textes admirables, d'une intelligence et d'une force peu communes. Mais tout cela, quand j'arrivais à l'âge d'y prendre part, était en train de sombrer dans le passé. Il y avait bien un Jean Delay, grand médecin, grand découvreur et en même temps admirable écrivain, auteur de pénétrantes psychobiographies. Mais il était à la retraite et avait quitté la scène clinique. Il y avait encore Robert Debré qui, dans son autobiographie, *L'honneur de vivre*, montrait comment, philosophe désireux d'engagement, il avait choisi la médecine pour mettre ses idées à l'épreuve de la vie. Hélas, il était très âgé, sans influence et n'allait pas tarder à mourir.

En lieu et place de ces grands auteurs, de ces hommes engagés qui venaient confirmer mon intuition et mes choix, régnait une génération de techniciens qui tournait le dos à leur héritage de culture. En psychiatrie, sous l'influence des États-Unis où des hordes d'avocats ont tout détruit sur leur passage, la phénoménologie a été rejetée, la classification européenne des maladies mentales jugée trop subjective. Une démarche statistique d'une grande pauvreté intellectuelle — mais objective donc opposable en cas de procès — a remplacé les tableaux cliniques. Pour être déclaré schizophrène, il suffit de présenter deux signes majeurs et trois signes mineurs, cochés sur une liste préétablie. C'est le degré zéro de la compréhension. Jamais je n'ai pu m'y résoudre.

Il faut reconnaître cependant que cet affaiblissement de la clinique va de pair avec la montée en puissance de la connaissance intime, chimique et génétique, des maladies, donc avec leur traitement. C'est un indéniable progrès. Mais il n'a pas constitué une raison suffisante pour me convaincre de poursuivre dans cette voie hospitalière. L'efficacité croissante de la thérapeutique ne compensait pas, à mes yeux, l'appauvrissement humain de la médecine.

Dès que j'eus compris que je ne ferais pas carrière dans la hiérarchie hospitalière, je terminai mon internat sans chercher à entrer dans la compétition technique, la course aux publications scientifiques. Surtout, je m'épargnai le jeu épuisant de la flatterie, de la tactique et du croc-en-jambe.

Pour autant, je n'ai pas déserté. Je me suis efforcé d'accomplir ma tâche avec rigueur, surtout vis-à-vis des patients. Pour eux, je me suis, tout au long de ces années, rendu disponible et attentif. De mes maîtres, quelle que fût ma réticence à leur égard, j'ai essayé d'apprendre le plus possible. En les observant, j'ai compris dans bien des cas ce qu'il fallait faire et, dans quelques autres, ce dont il fallait se garder. J'ai aussi beaucoup appris des nuits de garde, où, rompu de fatigue, on ne sait s'il faut se déshabiller (alors qu'on peut être réveillé quelques minutes plus tard) ou se jeter tel quel sur son lit (au risque de dormir jusqu'à l'aube dans la moiteur de ses vêtements et de sa blouse).

Portant peu d'intérêt à la technique et aux aspects scientifiques de la médecine, j'ai surtout traqué, dans mon expérience d'interne, toutes les occasions de rencontrer la vie véritable, d'assister des êtres dans leur confrontation avec la douleur, le danger, l'inéluctable.

J'ai reçu comme une grande faveur d'avoir été placé si jeune aux premières loges de la condition humaine, c'est-à-dire de la souffrance et de la mort. La fréquentation de cette dernière est un privilège exclusif des médecins, particulièrement les hospitaliers. Aucune autre profession, aucun autre diplôme ne donne ainsi la possibilité d'approcher le mystère de l'extrémité. J'ai toujours pensé que la puissance du médecin, l'énigme qui entoure sa charge, ne tient pas au fait qu'il résout des problèmes, soulage la douleur, prolonge la vie, mais plutôt qu'il se tient sur les rives de la mort. Il est le gardien du passage ultime et cela depuis toujours. De là vient que, bien avant d'être capable de guérir, il a été un objet de respect et de crainte.

Tout jeune et inexpérimenté que je fusse, je ressentais en moi et autour de moi les signes troublants de ce sacerdoce.

9

Lors d'une de mes premières gardes de nuit, à la Salpêtrière, je pris le relais d'un « vieil interne », collègue en attente d'un poste de chef de clinique. En même temps qu'il me remettait le sacro-saint « bip » (instrument d'appel à distance, ancêtre rudimentaire du téléphone portable), il crut bon de me donner quelques conseils.

La chambre de l'interne de garde, à l'époque, était située à l'écart des urgences, séparée d'elles par une immense cour qui servait au stationnement des voitures.

« Si tu veux mon avis, me dit le collègue en frottant ses yeux fatigués par une nuit de veille, ne t'habille pas trop vite quand on t'appelle. Traverse la cour doucement, sans te presser. Ceux qui doivent mourir seront morts. Il sera toujours temps de t'occuper des autres. »

Nous vivions les derniers moments d'une époque : une sagesse, venue du fond des âges, était encore transmise et exprimable sans susciter l'indignation. Comme le faisait avec naturel mon vieux collègue, elle nous disait simplement qu'il fallait respecter la mort. Une des noblesses du médecin était d'évaluer les combats perdus et de ne pas les livrer. Faulkner fut un des derniers à décrire avec tendresse un vieux toubib que chacun appréciait dans son comté parce qu'il savait, avec tact, arriver trop tard, quand il n'y avait plus rien à faire.

Les relations ancestrales de la médecine et de la mort étaient empreintes de subtilité. En un temps (jusqu'aux années cinquante du XXe siècle) où la thérapeutique n'existait pas, le médecin avait face à la mort une attitude de bretteur gascon : fanfaron, le verbe haut, l'épée volontiers dégainée. Mais le but était surtout de donner du courage au malade, de le faire combattre, car lui seul était en état de se défendre. Quand il ne l'était plus, rien ne pouvait se substituer à ses forces défaillantes. Le médecin connaissait les caprices de la maladie, ses feintes, ses hésitations, ses méthodes joueuses. Tout son art consistait à s'attribuer bruyamment les reculades de la mort. Mais quand elle voulait vraiment s'emparer de quelqu'un, le médecin s'inclinait et saluait respectueusement ce partenaire tout-puissant.

Ensuite sont venus les traitements et les victoires : les antituberculeux, les prouesses chirurgicales, les anticoagulants, les diurétiques, les antimitotiques, etc. Chacun a apporté ses petites victoires sur la maladie. Pourtant, le vrai médecin, au plus fort de ces conquêtes, n'a jamais préjugé de sa puissance. Il savait qu'un certain nombre de patients étaient encore élus pour périr et qu'il était inutile de vouloir priver la mort de ces otages. On peut traiter les embolies pulmonaires, les infarctus, les hémorragies digestives. Reste qu'une certaine proportion de ces cas, par leur caractère massif, d'emblée gravissime, est au-delà de toute thérapeutique. C'était eux que mon collègue me recommandait de laisser en paix. « Ceux qui doivent mourir… »

Ce respect de la mort étendait aussi sa protection sur tous ceux qui, par leur grand âge, l'intensité de leur souffrance ou la gravité de leur pathologie étaient condamnés. La sagesse médicale consistait à savoir jusqu'où il était nécessaire de se battre. Au-delà d'un certain seuil il fallait respecter la paix du patient et le laisser accueillir la mort avec sérénité. Je ne parle pas d'euthanasie. J'évoque seulement des limites sur lesquelles la loi ne devrait pas avoir à statuer si les médecins d'aujourd'hui étaient encore ceux d'hier, des limites d'humanité et de conscience.

Malheureusement, nous avons goûté à la toute-puissance et le respect de la mort est en train de faire place à la vénération de la technique. J'ai moi-même commis quelques péchés d'orgueil de cette nature. Je vois encore cette femme, dans la salle commune dont j'ai parlé, cancéreuse au stade ultime, qui me regardait préparer sur une table roulante des cathéters et une sonde. Elle respirait difficilement. Ses bras maigres étaient étendus sur le drap. Sa voix n'était qu'un souffle ; je me penchai pour distinguer ses paroles : « Laissez-moi tranquille, disait-elle. Ne me volez pas ma mort. » Je n'ai pas tenu compte de ses protestations. Elle est morte pendant que je la charcutais. Trente ans plus tard, je ne me le suis pas pardonné.

Cette erreur tragique, cette trahison de la véritable sagesse médicale, pendant que je m'y livrais en petit, le système de santé l'organisait en grand, à l'échelle de tout le pays. La redoutable secte des urgentistes commençait son règne. Je persiste à penser qu'on aurait pu améliorer beaucoup les soins en se contentant, comme le font les pompiers, de transporter plus vite et en sécurité les patients jusqu'à des médecins capables de statuer sur leur sort.

Un autre choix a été fait : celui de projeter l'hôpital au-dehors, de mener jusqu'au patient un véritable service ambulant. Le SAMU, cet auxiliaire terrifiant de Big Brother, étend aujourd'hui son ombre sur les villes. Capables de « mettre en survie » n'importe qui, il ne manque à ces médecins aucune compétence, sinon cette sagesse, cette familiarité avec le patient, sa maladie, ses volontés, qui les conduirait à respecter la mort.

Sans doute ces techniques permettent-elles de sauver quelques patients. Mais ce résultat se paie au prix fort : désormais la mort — comme la naissance — n'est plus une affaire privée. La terreur des grands malades est de s'en voir dépouillés. Combien de serments sont demandés aux familles par des personnes à la dernière extrémité, qui ont encore le bonheur de caresser leurs chiens et leurs chats : « Promettez-moi que vous me laisserez mourir ici. » Combien de voix, toutes semblables à celle que je n'ai pas oubliée, répètent sans être entendues : « Ne me volez pas ma mort. » Et puis, toujours, au moment des derniers spasmes, des premiers combats avec la Camarde, la pression sociale redevient plus forte. On appelle le 15. Et le mourant entend dans l'escalier les pas précipités d'une équipe sans états d'âme qui vient lui apporter non pas la vie, mais un surcroît de tourments et surtout un arrachement définitif à son cadre intime.

Pour combattre cette perversion de la médecine, mon seul espoir réside dans le fait que ce système mène à l'absurde. L'urgence tue l'urgence. Il suffit de voir ce que sont devenus les services d'urgence dans les hôpitaux. Je pense qu'un reflux viendra et, si les avocats ne s'en mêlent pas, on rendra un jour aux généralistes la responsabilité de moduler la mort. Ils sont déjà, aujourd'hui, le dernier rempart contre les excès de zèle des réanimateurs de tout poil.

En tout cas, on l'aura compris, l'urgence et son univers fruste et poisseux ne m'a jamais attiré. J'en ai fait ma part avec les gardes de médecine mais sans enthousiasme ni appétit. Et j'ai choisi une pratique — la neurologie — tout à rebours de la précipitation.

Cela ne m'a pas pour autant rendu quitte avec la mort. Même s'il ne participe pas à l'ultime combat, le médecin a d'autres rendez-vous avec elle.

D'abord, c'est lui qui la déclare. Ce pouvoir est le cœur de sa fonction, la part sacerdotale et mystérieuse de ce métier.

Les critères qui, en France tout au moins, décident de la mort sont assez flous. Ils datent de l'époque où le signe le plus certain du trépas était l'arrêt durable de la circulation du sang, arrêt que la médecine a appris depuis lors à combattre. Les manœuvres légales pour décider de la mort consistent théoriquement en divers charcutages des veines du bras, destinées à montrer que le sang ne s'y écoule plus. Elles sont si compliquées et si douteuses que personne ne les pratique jamais. La mort est attestée par un autre moyen, à la fois plus empirique et plus certain, que l'on appelle l'expérience. Un mort est mort, voilà tout. N'importe quelle infirmière avec un minimum de pratique peut acquérir cette certitude. Pourtant, une telle conviction, même confirmée par l'évidence, n'a pas force de loi. En dernier ressort, c'est au médecin et à lui seul de déclarer la mort, privilège qui ressemble à celui des chefs d'État de déclarer la guerre.

Si inexpérimenté soit-il, l'interne, en particulier la nuit, est celui qui, sur un appel des équipes soignantes, prend la responsabilité de faire passer le malade du monde corruptible des vivants à la paix éternelle des morts.

Chaque nuit de garde, nous étions appelés ainsi, pour signer, selon la formule consacrée, des « billets de salle ». Cette feuille administrative témoigne de l'entrée du patient à l'hôpital. Il importe ensuite d'y faire figurer le moyen qu'il a utilisé pour en sortir. Ce peut être au terme de son traitement, un avis favorable des médecins ; ce peut être, sous sa responsabilité, l'évasion ou la rébellion. La sortie peut être provisoire — « une permission » — ou définitive. Le plus radical de ces élargissements s'appelle la mort.

Quelquefois, les nuits d'hiver, recru de fatigue, certains d'entre nous — je l'ai fait moi-même — cédaient à la tentation de signer sans se déplacer le certificat de décès d'un patient. Un garçon de salle tendait le papier sous la porte de notre chambre et, les paupières gonflées, la voix pâteuse, nous nous contentions de lui demander : « Il est bien mort, hein ?… Pas de blague ! » À partir d'un certain degré de fatigue, un grognement suffisait à nous rassurer.

Le jeu était pourtant dangereux. On avait vu de ces malades facétieux tromper les infirmières les plus avisées. Leur immobilité complète, leur pâleur extrême, la faiblesse de leur pouls avaient laissé croire que tout était fini. On les recouvrait d'un drap. Et puis, quelques heures plus tard, une aide-soignante poussait un cri : le mort avait bougé... Pour éviter ce type de désagrément ainsi que des erreurs toujours possibles (échange de papiers entre deux patients, etc., surtout avant l'avènement de l'informatique), il nous fallait nous déplacer.

La scène était toujours à peu près la même. Autour du patient privé de vie, mais pas encore décédé, véritable sans-papiers de la mort, l'équipe de nuit était assemblée en silence. Infirmières rodées à la souffrance et au trépas, surveillantes-chefs aux yeux lourds d'expérience et qui avaient pour ainsi dire tout vu, aides-soignantes blasées et garçons de salle sarcastiques entouraient le lit du futur défunt. Arrivait l'interne, bien souvent un freluquet aux joues roses qui faisait ses débuts. Tout le monde savait à quoi s'en tenir sur le patient et pourtant l'assemblée silencieuse s'en remettait avec attention aux paroles et aux actes du médecin en herbe. Ce n'était pas ses connaissances qui lui valaient ce respect. Son savoir médical n'était plus d'aucune utilité à ce stade. Quant à la mort, c'était une affaire d'expérience et il en manquait trop visiblement. Personne, au fond, n'avait besoin de lui. Et pourtant, il était irremplaçable.

Sa décision, sa signature avaient une valeur essentielle, non point technique mais sacerdotale. Par la dignité de sa fonction, il allait opérer cette transmutation mystérieuse qui ferait passer une chair inerte de l'ordre du vivant à l'état irréversible de mort. Comme le prêtre de *La puissance et la gloire* qui, tout alcoolique et pécheur qu'il fût, disposait seul du pouvoir de dispenser la communion et la grâce, l'interne, jouvenceau auquel les fortes femmes présentes auraient pu enseigner bien des aspects de la vie, était désigné par une instance supérieure et sacrée pour prendre seul la décision ultime.

J'ai eu conscience très vite de cet aspect quasi religieux de la médecine. Peut-être parce que j'étais à l'époque particulièrement rose et naïf, ignorant de la vie, timide et fragile, il m'a fallu convoquer, pour remplir cette fonction, des qualités plus liturgiques que scientifiques, installer un rituel plus grand que moi.

Comme la plupart de mes confrères, j'utilisais à cette fin un geste spectaculaire bien que sans réelle valeur juridique : je vérifiais l'abolition du réflexe cornéen. La cornée, surface sensible s'il en est, provoque, au moindre contact, fût-ce en sentant la chaleur ou le vent d'une main qu'on approche, un abaissement réflexe de la paupière. Cette réaction est la dernière à disparaître dans les comas les plus profonds. Si elle ne signe pas la mort, elle est en tout cas un indice extrêmement fort d'une quasi-inertie neurologique.

Qu'on imagine la scène : le groupe attentif et un peu goguenard de l'équipe soignante attend autour du lit. Le jeune interne arrive. Il se plante devant le corps, rouvre les yeux qui ont été généralement fermés par les infirmières et plante la pulpe de son pouce sur les prunelles. Rien ne se produit. Alors, d'une voix empreinte de certitude, le médecin, pleinement souverain parce qu'il touche à ce moment au cœur sacré de sa fonction, déclare d'une voix qui n'a plus d'âge et que nul ne s'aviserait de juger : « Il est bien mort. »

Trente ans plus tard, je sens encore sur mes doigts le contact gélatineux de ces yeux sans vie. Il est comme la marque d'un mystérieux chrême dont j'aurais été baptisé. Cette onction a fait de moi, quoi que je devienne jamais, un desservant de ce culte étrange, plus proche des grandes terreurs de la préhistoire que des récentes conquêtes de la science, et qui a pour nom médecine.

10

Le contact des internes avec la mort ne se bornait pas à garder la frontière du trépas. Nous n'étions pas seulement préposés à la veille des mourants ; nous fréquentions aussi les morgues, c'est-à-dire le monde d'au-delà de la mort, celui où se déroulent les autopsies et les cours d'anatomie.

Obtenue de haute lutte contre les Églises et les traditions, la libre disposition des cadavres est un acquis majeur de la science médicale moderne. Des lieux particuliers sont consacrés à ces opérations sur les corps inertes. Par tradition, peut-être aussi pour proclamer sans ambiguïté qu'ils servent à un spectacle public qui donne à voir des corps désacralisés, ces services d'anatomopathologie continuent d'être appelés « amphithéâtres ».

J'ai eu l'obligation de travailler pendant six mois dans un de ces endroits. Passé le premier moment d'horreur, j'y avais pris, comme les autres, mes habitudes. Chaque matin, après avoir bu mon café, je poussais la porte du service et allais en chantonnant jusqu'à mon vestiaire. Là, je chaussais des bottes en caoutchouc, enfilais une blouse bleue, et nouais autour de ma taille un tablier blanc. Les employés de la morgue me saluaient avec leur air inimitable qui tenait à la fois du boucher rubicond et du pharmacien cauteleux. Ils accomplissaient dans ce lieu affreux des tâches de routine et revendiquaient une normalité qu'on aurait été tenté de leur dénier. Pourtant, je suis sûr qu'ils n'oubliaient pas le caractère absolument particulier de ce qu'ils faisaient. Comme les bourreaux, les tortionnaires, les procureurs, ils gardaient, derrière l'aisance de leurs gestes, la conscience aiguë et sans doute douloureuse d'être séparés du reste de l'humanité.

Pour commencer ma journée de travail, je consultais la liste affichée sur un mur. Plusieurs sacs blancs étaient disposés sur les tables : les affaires du jour. En comparant le numéro inscrit sur la liste avec les étiquettes attachées aux momies, je repérais mon premier client. Les garçons le sortaient du drap. Je ne m'étonnais plus, en regardant cette apparition humaine, de percevoir un contraste entre le moelleux des chairs et le bruit de bûche que rendait leur manipulation sur la table d'autopsie.

Ensuite venaient les gestes automatiques de l'effraction : l'incision en triangle sur le thorax, prolongée en médiane jusqu'au pubis ; la sortie des viscères ; les bruits de décollement ; les glouglous de vaisseaux tranchés ; les chapelets d'intestins déroulés sur le métal de la paillasse, lavés à grande eau dans un évier.

Il me serait impossible aujourd'hui de supporter ce quotidien d'horreur. C'est que la mort, depuis, est devenue pour moi une affaire personnelle. J'ai vu mourir mes parents, des amis, une femme que j'aimais. Et j'ai fait trop de chemin dans mon propre corps pour ne pas y sentir quelquefois rôder la mort. J'ai aussi vu trop d'assassins de masse, massacreurs de guerres civiles, bouchers de peuples, qui avaient développé en eux la banalité du crime et le mépris de l'humain. Je ne pourrais plus accepter, si peu que ce soit, de laisser entrer en moi cette indifférence à la mort.

Mais, en ce temps-là, je l'ai fait. Heureusement, cette expérience n'a pas tué ma conscience ; dès lors, tout ce qu'elle m'a enseigné m'a été utile.

Ce qui s'acquiert dans les morgues, c'est une vision complète du corps, de son dedans comme de son dehors, de son état inerte comme de son état palpitant. Les médecins, à cause de ces moments de familiarité avec le cadavre, savent que le corps n'est pas seulement la disposition souple et chaude d'organes, de fonctions et de sens. Ils savent que la vie est un état fragile et rare, l'improbable mise en mouvement d'une molle horlogerie de chair, si désespérante à contempler quand elle est jetée en tas au fond d'un bassin d'émail.

L'amphithéâtre change aussi le regard sur les usages de société. Les salles de dissection, où se pratiquent sereinement les plus extrêmes outrages sur les corps, sont souvent situées à quelques mètres à peine des chambres mortuaires dédiées à la visite des familles. Passant de l'une à l'autre, le cadavre dépecé est recousu, habillé, maquillé. Son visage est modelé comme une cire par les mains esthètes des garçons de salle. Tiré de la table métallique, le corps du défunt est disposé dans un cercueil, revêtu de linge propre, coquettement entouré de dentelles…

Un de mes amis de l'époque était un ardent militant de l'internationale situationniste. Chez lui trônait un vieux téléviseur en panne. À la place de l'écran, il avait collé le portrait d'une très jolie femme nue. Il laissait ses visiteurs la contempler et, ensuite, retournait le téléviseur. Il avait ôté la coque à l'arrière de l'appareil et l'on apercevait, dans l'obscurité de cette boîte, un fouillis sans grâce de lampes, de transistors et de haut-parleurs.

« Ce visage, proclamait-il, très content de lui, déclenche en nous l'amour, le désir, la tendresse, tout ce que nous avons d'humain. Pourtant, il n'est que le produit de ce bordel d'instruments et de fils. »

C'était, à la sauce Debord, la critique à la mode du virtuel et de la société du spectacle.

Le décor de la mort, ses voilettes, ses fleurs, ses défunts proprets dans leur dernier costume produisaient en moi un même sentiment d'illusion radicale. En franchissant la petite porte qui me ramenait des salons ouverts aux familles jusqu'aux salles d'autopsie, je quittais le monde du deuil pour entrer dans sa coulisse de céramique et d'acier brossé. Je reprenais mes couteaux pour outrager un autre cher disparu avec la claire conscience de passer de l'autre côté du miroir, de pénétrer au cœur d'une illusion essentielle, d'un secret fondamental.

Heureusement, à moins d'en faire sa spécialité, cette fréquentation des morts n'est qu'une étape dans la formation médicale. À mesure que l'on avance en âge et en grade dans la carrière hospitalière, on n'est plus dans l'obligation de se rendre dans les morgues. On ne rencontre plus de cadavre complet, si je peux m'exprimer ainsi. On reste en revanche régulièrement confronté à des morceaux de morts, ceux que l'on analyse après le décès pour comprendre ce qui l'a provoqué. Les médecins appellent cela la « pièce ». Combien de fois ai-je entendu dire à mi-voix, alors qu'un patient venait d'être examiné par un aréopage perplexe : « Attendons la pièce. » La pièce, c'est l'organe malade, le cœur défaillant, le cerveau envahi par une tumeur, le foie rongé par un virus... La pièce, c'est la solution de l'énigme clinique et les médecins l'espèrent avec impatience comme des cruciverbistes bloqués dans l'élaboration de leur grille... Pour obtenir cette « pièce », il y a désormais des moyens respectueux de la vie : une opération chirurgicale ou même un petit prélèvement qu'on appelle biopsie. Mais il demeure beaucoup de cas (organe fragile, lésion inaccessible, évolution foudroyante) où l'on n'a d'autre moyen que de la faire prélever sur le patient devenu cadavre.

Dans la spécialité que j'avais choisie, la neurologie, les méthodes révolutionnaires d'imagerie médicale (scanner, IRM) n'en étaient qu'à leur début. La clef des mystères cliniques reposait encore exclusivement sur l'observation post mortem. Une fois par mois était organisée dans le service d'anatomie pathologique du pavillon Charcot à la Salpêtrière une « séance de coupe ».

Le rituel en était immuable. Flottant dans les vapeurs de formol qui épaississaient l'air, quelques dizaines de médecins en blouse blanche, de tous âges et de tout grade, écoutaient silencieusement un interne lire l'observation d'un de ses patients décédés. On y apprenait les étapes de sa maladie, les traitements qu'on lui avait infligés et les détails de son agonie. Puis venait la « pièce ». Déposé dans une cuvette d'émail rectangulaire, reposant sur une couche de liège, le cerveau du trépassé s'offrait à la contemplation gourmande des affamés du diagnostic. L'anatomiste en chef s'en saisissait, le retournait sous toutes ses faces puis, à l'aide d'un long couteau tout à fait semblable à celui dont usait ma grand-mère le dimanche pour découper le gigot, procédait méthodiquement, d'avant en arrière, à la coupe des hémisphères.

Chaque nouvelle tranche suscitait des murmures de curiosité. Les têtes approchaient pour mieux voir... Et la chair morte livrait ses secrets enfouis, confirmait les hypothèses des uns, contredisait les autres, administrait en somme une manière de justice qui était accueillie avec soumission. C'est ainsi que j'ai vu un jour paraître le cerveau d'un philosophe, décédé peu avant. Au plaisir de suivre dans son encéphale tranché la progression des lésions qui l'avaient emporté, s'ajoutait pour ceux qui avaient admiré l'homme et son œuvre la curiosité par avance déçue de découvrir dans l'arrangement de ses faisceaux de neurones, la forme de ses ventricules, les détours gauderonnés de son cortex, le lieu secret de son génie...

La médecine, volontiers méprisante à l'égard des hiérarchies humaines et convaincue de se situer à un niveau où tous les individus sont tristement égaux devant la maladie et la mort, montre pourtant un grand appétit à recueillir et à conserver des morceaux illustres. C'est particulièrement le cas chez les neurologues. Vestiges d'un temps où l'on recherchait la circonvolution du crime ou les spécificités de la morphologie cérébrale qui auraient expliqué le don pour les mathématiques ou le génie musical, des collections de cerveaux de criminels et de têtes de suppliciés hantent encore les rayonnages des facultés.

L'anatomiste en chef, à l'époque où j'étais interne, était ainsi très fier de conserver, dans une armoire située

108

derrière son bureau, le bocal de verre où flottait la tête de l'anarchiste Ravachol.

Cette relique donna lieu à un épisode que je raconte ici pour la première fois. Il pourrait me valoir des poursuites judiciaires rétrospectives. Mais j'espère que l'aventure a heureusement laissé, y compris à ceux qui en furent les victimes, le souvenir d'un canular plutôt que d'un crime.

Un de mes amis, à l'époque, était tombé amoureux d'une fille qui, outre ses qualités personnelles, avait la particularité d'être une descendante de Karl Marx. L'amour de mon camarade n'était guère payé de retour. Il se désespérait et cherchait à accomplir un coup d'éclat par le moyen duquel son égérie aurait enfin pris la mesure de sa passion. Mais tout ce que nous envisagions ce soir-là, en buvant pas mal d'alcool, nous paraissait irréalisable, ridicule ou triste. Quand, soudain, je lui parlai de Ravachol...

Il me faut réclamer à ce stade beaucoup d'indulgence pour notre bêtise et surtout notre ignorance. On ne nous aurait pas pris en défaut dans la récitation des signes cliniques de l'hémorragie méningée, mais nous n'avions que fort peu de culture historique. Ravachol, Karl Marx, nous pressentions bien qu'il y avait des différences. Mais, après tout, l'un et l'autre s'étaient occupés de révolution. Ils vivaient à la même époque et pouvaient bien s'être croisés. Bref, apporter Ravachol à la descendante de Marx, ce n'était rien d'autre que lui présenter un ami de la famille. Ainsi en fut-il immédiatement décidé.

Il était une heure du matin. La boisson nous faisait voir toute chose claire et facile. Nous prîmes le chemin de la Salpêtrière. Mon ami était très habile bricoleur : il ouvrit deux serrures sans effort et ce fut par erreur plus que par maladresse que nous cassâmes un carreau. Dans le bureau désert, Ravachol semblait nous attendre. Nous plaçâmes le bocal dans un grand sac à linge et, sans bien nous rendre compte de ce que nous avions fait, nous nous retrouvâmes dans la rue, encadrant le grand homme.

Sitôt rentrés chez moi, un malaise nous envahit. Posé sur la table de la cuisine, l'objet nous apparut tout de suite comme rayonnant d'une énergie maléfique. Le bocal ressemblait à un gros aquarium dans lequel un poisson aurait démesurément grandi jusqu'à toucher les parois. On ne savait ce qui était le plus inquiétant : le côté où le visage était intact ou l'autre, qui révélait l'intérieur de la boîte crânienne. Car le malheureux Ravachol non seulement avait dû subir la décollation par le moyen de la guillotine, mais un second supplice, après sa mort cette fois, avait tranché sa tête sagittalement en son milieu. Cette dernière coupe permettait de voir les méninges et notamment cette grande membrane centrale qui sépare les hémisphères et que l'on appelle d'un mot terrible qui renvoie aux images médiévales de la mort : « la faux du cerveau ».

Du côté intact, Ravachol apparaissait comme un petit homme maigre au visage couvert d'une barbe jaunâtre. Son nez, en pressant contre le bocal, s'était un peu déformé, à la manière de celui des boxeurs. Son œil aux cils blonds était doucement fermé. Oserais-je dire qu'il n'avait pas l'air d'un mort ? Peut-être était-ce le fait de l'avoir parmi nous et donc de le considérer comme un des nôtres, il nous semblait en tout cas ne pas appartenir au monde inaccessible des cadavres, monde qui nous était familier mais où nous n'avions jamais rencontré personne à qui parler. Tandis que nous parlions à Ravachol. Et tout le monde avait envie de faire de même. Chaque fois que nous déballions le sac à linge devant des camarades, des amis, des parents, nous constations que Ravachol suscitait l'envie d'engager la conversation. Peut-on aller jusqu'à dire qu'il était sympathique ? En tout cas, il attendrissait. Qu'un homme si jeune — la mort et le formol l'avaient figé dans une relative jeunesse — eût fait le choix d'aller jusqu'à la guillotine pour défendre ses idées semblait digne de respect, en ces années encore proches de Mai 68. C'était la tête d'un homme libre que nous tenions enfermée dans cette cage de verre.

Mais, bien sûr, l'autre côté était bouleversant. La face tranchée, qui révélait les nerfs et le cerveau, produisait un malaise profond qui aurait ravi mon ami situationniste. En un simple pivotement, on était témoin du grand mystère : celui des relations subtiles entre la matière et l'esprit, l'éternel et l'éphémère, la contrainte biologique et le libre arbitre de la personne.

Nous eûmes pas mal de succès avec notre trophée. Le seul échec, nous le rencontrâmes avec celle à qui, justement, nous destinions ce cadeau. La bien-aimée de mon ami, à peine avions-nous baissé le sac à linge et laissé entrevoir Ravachol, poussa un cri et nous mit dehors sans aucune marque de satisfaction. L'ingrate ! La jeunesse est un âge d'apprentissage et ce fiasco eut au moins le mérite de nous enseigner qu'il est inutile, pour séduire les femmes, de leur offrir des têtes de mort, fussent-elles illustres.

Cet échec nous déçut beaucoup, mais surtout il nous fit revenir à la raison. Nous prîmes conscience que le vol de Ravachol était une plaisanterie stupide et pouvait même être considéré comme une profanation. Pour lever toute ambiguïté sur nos intentions, nous entourâmes le défunt des plus pressantes attentions. Nous maniions le bocal avec précaution, nous ne l'exhibions plus et nous nous relayions à sa garde. Nous commençâmes à chercher le moyen de réparer notre imprudence et de ramener Ravachol à celui qui s'en était déclaré le geôlier posthume. Hélas, un événement vint tout compliquer.

France-Soir, à l'époque un journal considérable, fit paraître en première page un article intitulé : « Renouveau anarchiste : on a volé la tête de Ravachol. » Suivait un compte rendu qui narrait les circonstances de notre équipée — « une opération, à l'évidence bien préparée ». Le journaliste avait recueilli les confidences des enquêteurs « qui privilégiaient la piste politique. Un regain d'activisme parmi les groupes anarchistes a été récemment constaté en France », etc.

L'affaire prit alors un tour de cauchemar. Nous avions la conviction d'être traqués par toutes les polices de France. Pour échapper à une éventuelle perquisition, je ne dormais plus à mon domicile. Dans ma 2 CV, je transportais de nuit l'horrible sac à linge de gîte en gîte. Nous aurions donné n'importe quoi pour nous débarrasser de notre otage. Mais, à la différence des ravisseurs ordinaires, nous n'avions même pas la ressource de l'exécuter.

Une nuit, hébergé par une amie musicienne, je fus réveillé en sursaut par le bruit d'un violoncelle dont la pointe avait glissé sur le parquet et qui était tombé dans un affreux bruit de cercueil vide et de cordes tendues. Ravachol, posé sur le piano, me regardait en clignant de l'œil et je me pris, pour la première fois, à le détester.

Finalement, nous tînmes un conseil de guerre. Quelqu'un de nos amis eut une idée qui conciliait tout : le respect que forçait en nous cette moitié de grand homme, l'urgence à s'en débarrasser, la prudence qui commandait de ne pas contrarier la police dans ses hypothèses... Nous décidâmes de déposer la tête de Ravachol au Panthéon.

L'action fut menée à six heures du soir avec rapidité et bonheur. Mon ami escalada les grilles, je lui passai le sac à linge. Nous avions enveloppé le bocal dans un grand papier à dessin, sur lequel nous avions inscrit des slogans anarchistes, appât jeté aux fins limiers de la PJ et dont la suite devait montrer qu'ils allaient docilement s'en repaître. Ni vu ni connu, une heure plus tard nous trinquions à une terrasse place de l'Odéon.

Le retour de Ravachol dans l'atmosphère terrestre se fit triomphalement. Des artificiers eurent la charge de déminer le malheureux bocal que l'on supposait rempli d'explosifs et de clous. Une fois ce danger écarté, le célèbre anarchiste eut la satisfaction posthume de trôner pendant toute une journée au commissariat du Ve arrondissement où une foule de curieux furent admis à lui rendre hommage. *France-Soir* lui consacra pour la dernière fois sa une.

Puis il fut reconduit à sa réclusion dans un musée et nous à la nôtre, à l'hôpital.

11

Lors d'un de mes stages d'interne, à l'hôpital Saint-Antoine, je croisais presque chaque jour un petit homme replet coiffé d'une casquette rouge à pompon. Il semblait toujours en train d'attendre quelqu'un ou quelque chose, tranquillement assis près des grands ascenseurs, et je n'y prêtais qu'une vague attention.

Un jour pourtant, il vint me consulter aux urgences pour une contusion sans gravité. Comme je l'avais reconnu, je lui demandai dans quel service il était en traitement et pour quelle longue maladie.

« Non, non, me répondit-il, je vais très bien.

— N'est-ce pas vous que je vois tout le temps, assis dans le hall avec d'autres malades ?

— Si », avoua-t-il.

Et il se mit à rire.

« Voyez-vous, docteur, j'habite en face, sur le Faubourg. Vous connaissez le grand magasin de meubles "L'harmonie chez soi" ? Depuis vingt-cinq ans, je loue un petit appartement juste au-dessus. »

En fait d'harmonie, le pauvre homme se disputait horriblement avec sa femme. Derrière les fenêtres que cachaient les grands néons proclamant le nom de la boutique, le couple se jetait les assiettes à la figure. Et, d'après ce que je compris, la femme devait avoir souvent le dessus.

« Quand ça ne va vraiment pas, m'expliqua-t-il, je traverse la rue et je viens m'asseoir ici, dans l'entrée de l'hôpital. Il y a du mouvement, les gens sont aimables. Et puis, ils souffrent. On les voit traîner des pieds de perfusion, des béquilles. J'en ai repéré qui sont emmaillotés dans des plâtres. Alors, j'engage la conversation, je discute avec eux. Je les fais parler de leurs souffrances et de leurs maladies. Ils aiment bien ça et moi, c'est bête à dire, mais plus ils vont mal, mieux je me sens. Une demi-journée dans ce hall, il n'y a rien de tel pour me redonner le moral. Je me dis : "Au fond, tu n'es pas si malheureux", et du coup, je retrouve l'énergie pour rentrer chez moi. »

Cette anecdote, qui me réjouit aujourd'hui, m'avait laissé sur le moment un goût amer. Pour le dire en bref, j'enviais cet homme. Car l'hôpital où j'étais, moi, obligé d'aller chaque jour, n'avait jamais opéré sur mon moral l'effet qu'il semblait avoir sur le sien. Je n'appartiens pas à la catégorie des humains pour laquelle le malheur des autres est un sujet de secrète jouissance. Je serais plutôt du genre compatissant, au sens étymologique de ce mot, c'est-à-dire que je souffre avec les autres, je me saisis d'une partie de la charge qui les écrase. Leur malheur est le mien et mon destin m'apparaît irrémédiablement entraîné par le leur vers la fragilité, le désespoir et la mort.

Je n'ai nul mérite à être ainsi. La nature m'a fait tel. Et d'être devenu médecin a encore augmenté cette malédiction car à la compassion s'est ajoutée la responsabilité. Cette fragilité ne m'a jamais empêché d'agir. J'ai fait mon possible pour me détacher de mes patients et me placer sur un autre plan : celui du professionnel. Pourtant, l'émotion n'est jamais loin. Elle peut briser à tout instant cette cloison de l'esprit. La vue d'une plaie profonde, d'une difformité, le recueil d'une confidence douloureuse peuvent, dans certains cas qu'il m'est impossible de prévoir, déclencher en moi une angoisse fulgurante, comme si un monstre de la nuit, griffon, démon volant, gargouille décrochée de sa cathédrale m'eût secrètement frôlé et rappelé par ce contact le destin de froid et de mort de l'être humain.

Je crois être toujours parvenu à cacher tant bien que mal mon trouble et à ne pas me départir d'un masque d'insensibilité. Il est certain pourtant que les malades ont toujours perçu en moi cette fraternité refoulée. Je suis un médecin qu'on aime. Partout où je suis passé, j'ai reçu le témoignage de cette sympathie. Comme je n'ai rien fait volontairement pour l'obtenir, j'en conclus qu'elle vient de plus loin et qu'elle procède non de qualités apparentes mais d'un défaut caché : celui de n'avoir jamais su me rendre invulnérable.

Voilà pourquoi l'hôpital, loin d'exercer son effet lénifiant, comme dans le cas de Monsieur « Harmonie chez soi », a toujours produit en moi une angoisse, un mal-être, qui a rendu ces années difficiles.

C'est sans doute ma fragilité devant la maladie qui m'a inconsciemment poussé à devenir médecin, dans l'ambition inavouable de me soigner moi-même. Ce fut la même fragilité, plus tard, qui me conduisit à m'éloigner de la pratique hospitalière dans laquelle ma peur et mes angoisses étaient mises à trop rude épreuve.

Pour ne rien arranger, j'avais choisi une discipline — la neurologie — dont, à l'époque, la thérapeutique était presque inexistante. Mais à part les accidents vasculaires qui bénéficiaient pour cet organe « parmi d'autres » qu'était le cerveau des progrès accomplis par les cardiologues et les chirurgiens vasculaires, la plupart des maladies que nous diagnostiquions étaient des arrêts de mort, assortis d'un sursis plus ou moins court.

J'avais le sentiment d'un tragique malentendu. Les patients arrivaient jusqu'à notre service très spécialisé avec le soulagement de quelqu'un qui trouve enfin la lumière. Après des mois d'incompréhension, ils tombaient sur des médecins qui connaissaient leur maladie, pouvaient la nommer et, espéraient-ils, la combattre. Mais nous, nous savions que cette lumière qui les avait réjouis n'était pas celle de la guérison mais plutôt la trouée aveuglante d'une arène où ils venaient de pénétrer et où la maladie allait les mettre à mort sous nos yeux. Les examens barbares qu'ils subissaient sans murmurer nous apparaissaient comme autant de banderilles plantées cruellement dans leur corps, en prélude au supplice final dont nous n'avions pas le pouvoir de les délivrer.

Nous étions à l'âge quasi inconcevable aujourd'hui où le scanner n'existait pas — il venait d'apparaître et était réservé, avec de longs délais d'attente, à quelques centres particulièrement en pointe. Pour étayer nos diagnostics, nous ne disposions que de pratiques violentes et l'on peut s'étonner qu'elles aient donné lieu à si peu de pro-

testations. Par exemple, pour localiser les tumeurs céré-
brales, on injectait de l'air dans les espaces méningés au
moyen d'une ponction lombaire. Ensuite, on faisait
tourner le patient dans d'incroyables fauteuils montés
sur des bras pivotants, comme dans les fêtes foraines. Le
malheureux se retrouvait la tête en bas, penché de tous
les côtés, secoué, impuissant, sanglé à sa nacelle de cos-
monaute, pour s'entendre annoncer finalement qu'il
n'avait rien ou qu'il était incurable.

Nos diagnostics étaient en général si effroyables que
nos efforts portaient sur la recherche des éléments qui
auraient permis de les contredire. Je me souviens de
cette femme pour laquelle tout conduisait à penser
qu'elle était victime d'une maladie de Charcot, dégéné-
rescence des cellules motrices de la moelle qui conduit à
une paralysie de tout le corps et à une mort aussi atroce
qu'inéluctable. Le seul espoir, dans le cas de cette
femme, était que, pour de très fragiles raisons cliniques,
nous pensions que ses troubles pouvaient être expliqués
par une intoxication. Il existe de rares formes d'empoi-
sonnement qui produisent des symptômes voisins de la
maladie de Charcot, sans en présenter la gravité car
l'arrêt de l'exposition au toxique entraîne la guérison.
Nous nous mîmes à chercher frénétiquement à quel
poison cette pauvre femme aurait pu être soumise.
Informée de l'importance de l'enjeu, elle nous aida elle-
même à interroger son mari. Elle fit tout pour lui faire
avouer qu'il l'avait empoisonnée. On sentait que la douleur éventuelle de découvrir qu'elle était mariée à un
criminel aurait été effacée par la joie qu'elle aurait ressentie, s'il avait avoué sa faute. Car il l'aurait ainsi sauvée
de la condamnation sans appel que lui réservait la

maladie de Charcot. Mais le bonhomme avait beau chercher : ni volontairement ni à son insu il n'avait intoxiqué sa femme. Nous ne désespérions pas pour autant : un matin, l'un de nous arriva avec une hypothèse neuve qui lui était apparue pendant la nuit. La patiente n'exerçait-elle pas la profession de garde-barrière ? Elle le confirma. Avait-elle un jardin potager ? Oui. Où se trouvait-il ? Le long des voies de chemin de fer. « Nous y sommes ! s'exclama le collègue. Comment sont désherbés les ballasts ?

— Par un wagon spécial qu'une motrice promène deux fois l'an et qui répand du défoliant.

— Et ce produit peut éclabousser vos légumes ?

— Ma foi, docteur, c'est bien possible. »

Cri de victoire ! Certaines classes de désherbants peuvent provoquer des atteintes neurologiques tout à fait proches des symptômes de la maladie de Charcot !

Nous nous engouffrâmes dans cette voie, sans même nous arrêter à ce fait troublant que, si les légumes étaient responsables, le mari, qui consommait les mêmes, aurait dû être aussi malade que sa femme.

La SNCF, après de longues palabres, accepta de nous fournir le nom du désherbant qu'elle utilisait sur ses lignes. En nous référant au fabricant de ce produit chimique, nous en connûmes la composition. Rendez-vous fut pris avec des toxicologues. Hélas, il s'avéra... que cette substance n'appartenait pas au groupe chimique impliqué dans les neuropathies.

Cette femme était condamnée. La nouvelle tomba sur elle comme le refus d'une dernière grâce. Par chance, si l'on peut dire, elle fut victime ce même jour d'un incident sans gravité mais humiliant et douloureux, causé par des ambulanciers. Dans cette corporation respectable se glisse malheureusement un nombre important de chenapans aux yeux de qui le port d'une blouse constitue une armure qui les protège du droit et même du simple respect humain. Deux gredins de cette espèce, passablement saouls, avaient transporté la pauvre femme à une consultation — de dermatologie, je crois. En la ramenant, ils avaient rabattu le hayon de l'ambulance sur les pieds paralysés de la malade. Elle revint donc avec des ecchymoses et des douleurs, injuriant les ambulanciers, menaçant de les poursuivre en justice. Mais, en se découvrant ces ennemis concrets, elle trouvait à employer la rage impuissante qu'avait suscitée en elle le matin même la nouvelle de sa condamnation par une puissance invisible qu'il était impossible de maudire en particulier. On peut dire qu'elle entrait ainsi dans les soins palliatifs…

Voilà comment allaient pour moi les jours à l'hôpital. Je rêvais de navigation et ne connaissais que la traversée monotone et sinistre du nocher qui conduit les âmes vers la rive des morts. Batelier de la souffrance, mes croisières étaient dans ces brumes froides, sans horizon, où la chaleur de l'équipage ne sert qu'à adoucir les derniers moments de passagers embarqués dans un voyage sans retour.

Comme j'aurais aimé à cette époque connaître des humains avant leur mort, c'est-à-dire avant qu'elle se manifeste à eux, avant qu'ils l'imaginent ! Ainsi formulé, cela peut paraître stupide. Il n'empêche que je ressentais fortement cette exclusion de la vie. Quand quelqu'un entrait en contact avec moi, c'était, la plupart du temps, que son existence était menacée de prendre fin.

Ma rencontre signifiait l'effondrement des projets, l'amoindrissement des capacités, la nostalgie des jours heureux.

Ainsi l'histoire de ce jeune Italien que je trouvai un jour dans un des lits du service, en larmes, tenant dans ses mains une lourde carabine. Je me précipitai. Son frère, qui était venu le visiter, me rassura :

« N'ayez pas peur. Il ne va pas se suicider. C'est moi qui ai apporté cette arme. Elle est à lui et il voulait juste… vous comprenez… la tenir encore une fois. »

Le garçon souffrait d'une tumeur osseuse maligne qui comprimait sa moelle épinière. Elle lui avait déjà ôté l'usage des jambes — en attendant, d'ici quelques mois, de le tuer tout à fait. Il venait de Calabre, où sa famille possédait un vaste domaine. Tout son plaisir était de chasser dans les collines avec ses frères. En soupesant amoureusement sa carabine, il me parla longuement de ses chasses, me raconta des souvenirs de ses terres arides, colorées, pleines de senteurs. Il savait qu'il ne les retrouverait plus jamais. Et moi, j'étais bien près de pleurer aussi, tant j'étais révolté par une vie, la mienne, où l'énergie, la beauté, l'espoir n'appartenaient jamais qu'au passé des autres. À vrai dire, et de façon très égoïste, il me semblait que, pour tragique que fût leur destin, les patients étaient moins à plaindre que moi. Car la vie véritable, au moins, ils l'avaient connue. Même si la maladie en interrompait le cours, il leur restait le souvenir de ses plaisirs et de ses aventures. Ils avaient vécu. Tandis que moi…

J'en venais parfois à maudire le savoir qui me faisait toujours apercevoir la mort au loin et me donnait la triste responsabilité d'arrêter le balancier de la vie.

Un homme, un jour, arriva à ma consultation tout en nage. Il était en costume-cravate, l'air affairé, et l'infirmière, devant son insistance, l'introduisit dans mon cabinet un peu plus tôt que l'heure prévue.

« Vous comprenez, docteur, me dit-il, j'ai des rendez-vous importants ce matin et je ne peux pas les manquer... un gros marché... le développement de mon entreprise... en plus, je suis garé en double file... »

C'était la première fois que je le voyais. Je lui fis raconter son histoire et je lus la lettre de son médecin traitant. Avant même de l'examiner, je sus de quoi il s'agissait. Une crise d'épilepsie inaugurale chez un adulte, gros fumeur, des signes localisés, un doute sur la radio pulmonaire... Métastase cérébrale d'un cancer à petites cellules. La mort, sans aucun traitement efficace — la suite devait, hélas, confirmer cette première intuition.

Je regardais l'homme s'agiter, consulter sa montre, s'impatienter. Il était encore dans la vie. Et je l'enviais d'avoir connu cette fièvre, cette intensité... Et je le plaignais pour ce qu'il allait ressentir.

« Allez garer votre voiture, lui dis-je. Il faut que vous restiez ici... »

Incompréhension, protestation, supplication. Parfois, on se sent, quand on remplit cette fonction, comme l'enfant qui tient un chat par la peau du cou et le voit se débattre. On a envie de le lâcher, de le laisser courir. Et l'on oublie que c'est la mort et non pas nous qui le tenons ainsi. Il ne nous appartient pas de lui faire grâce. Notre tâche, en revanche, est d'énoncer devant lui sa condamnation ou, au moins, de l'y préparer. Nous sommes les coiffeurs du condamné, ceux qui desserrent le col et dégagent la nuque pour que le couperet ne trouve plus d'obstacle devant lui. Nous avons toujours un temps d'avance. Nous voyons le malade dans le sujet bien portant et le mort dans le malade. Nous n'avons pas dévoilé le feu aux dieux mais plutôt la lumière, une lumière qui dévore les petits Prométhées que nous sommes.

Croyant m'évader, je lisais beaucoup pendant le peu de temps que j'avais de libre. Je dévorai les romans russes, *À la recherche du temps perdu*, Giono, Gide, Faulkner. Loin de soulager mon mal-être, ces lectures l'aggravaient. Tout ce qu'elles laissaient entrevoir de la vie était à la fois merveilleux et inaccessible. Les tourments de Raskolnikov, la fuite d'Angelo sur les toits de Manosque, les réminiscences proustiennes, tout ce qu'un autre aurait pu voir comme des tragédies m'apparaissait comme le bonheur suprême : celui d'être vivant, pour le meilleur ou le pire. Dans mon hôpital, commis au bon fonctionnement d'un couloir que j'arpentais chaque jour, responsable de mon lot d'êtres brisés et amoindris, je me sentais entravé pour ne pas dire prisonnier. La médecine, comme un père jaloux qui enferme sa fille au couvent, m'avait jeté dans une insupportable clôture. J'étais témoin de tous les malheurs humains, mais sans qu'il m'arrivât rien à moi-même ou si peu de chose. Au cœur de la vie — des autres — et exclu de la mienne, je voyais déjà, par la même prescience que je mettais dans mes diagnostics, le terme de mon parcours : devenir professeur, arpenter d'autres couloirs, prendre ma retraite. Mourir.

Les soirs de garde, sous les voûtes de la Salpêtrière, en passant devant la chapelle Louis XIV, mon esprit affamé d'aventures se prenait à rêver que des mousquetaires arrivaient au galop et m'emportaient avec eux. Je faisais des rêves de vierge recluse.

Il fallait décidément que quelque chose se passe.

12

Le salut, pour moi, est venu par étapes. Je ne peux pas dire qu'un jour précis quelqu'un, sur le pont du transatlantique, m'a lancé une bouée et tiré des flots noirs qui étaient en train de m'engloutir. Menacé de noyade dans la médecine, c'est lentement que je suis revenu à la surface. Les rencontres, donc le hasard, ont été déterminantes pour y parvenir.

La première est enfouie si profondément en moi que j'ai bien failli ne pas l'évoquer. C'est en remontant le courant de mes souvenirs que j'ai heurté cette souche à fleur d'eau, rejetée aux limites de ma conscience. L'histoire est celle d'une mort, encore, et peut-être est-ce la raison pour laquelle je l'ai éloignée de moi, comme toutes les morts dont j'ai été le témoin. Celle-là pourtant n'est pas semblable aux autres. C'est la mort d'un ami. Elle est inséparable de son parcours bref, léger, divin. Il est apparu, a transformé ceux qu'il a touchés de sa grâce et, tout aussi mystérieusement, il est parti à jamais.

Michel avait vingt-quatre ans. Une amie — étudiante en médecine, bien sûr — me l'avait présenté. Je n'avais pas encore plongé complètement dans la préparation de l'internat. Mes premières années de bachotage étaient terminées. J'étais entre deux esclavages, entre deux abrutissements. Faute de trouver un emploi à cette relative liberté, je la transformais en oisiveté. Phalène qui voletait sans but, je me laissai attirer par la lumière de Michel. Il était mon aîné et ne me le faisait pas sentir — fait rare car, en médecine, chaque écart d'ancienneté se paie de mépris condescendant. Surtout, il était autre. Jamais je n'avais croisé une personnalité semblable. À l'époque, je mettais cette singularité sur le compte de mon manque d'expérience et de relations. Avec le recul du temps et les innombrables rencontres que j'ai faites depuis lors, je sais maintenant que la rareté de Michel était absolue.

C'était, à première vue, un petit personnage désordonné, chevelu, ricaneur. On ne lui connaissait pas de maison. Il vivait en nomade dans Paris, laissant des affaires chez ses amies, ses copains, ses parents. Ses journées se passaient à circuler d'un gîte à l'autre. Cette liberté me fascinait. Ma mère, à l'époque, m'avait installé dans un petit studio où je restais enfermé pour étudier. À peine sorti du lieu clos de mon enfance, j'avais reconstitué un environnement de sédentaire avec des livres, des meubles, un rythme de jeune vieux garçon. Michel entrait chez moi avec les manières souveraines du barbare à cheval qui foule le labour d'un cultivateur. Il tripotait tout, s'asseyait par terre, feuilletait mes livres, ouvrait mon frigo. Il prenait mes lames pour se raser et se permettait de ricaner : « J'sais pas pourquoi, c'est toujours chez les types qui n'ont pas de barbe qu'on trouve les meilleurs rasoirs. » Il traînait toujours avec lui des instruments de musique (une flûte principalement) et des livres. Il les empruntait et ne les rendait jamais. Mais il ne les conservait pas non plus : il les oubliait dans une autre maison, tels ces insectes qui fécondent une fleur avec le pollen d'une autre.

Tout cela aurait dû me déranger, m'indigner, me pousser à le mettre à la porte. Au contraire, j'attendais ses visites avec impatience. C'était la vie qui entrait. Il fallait un courant d'air comme Michel pour parvenir à se glisser chez moi qui étais si bien calfeutré. Quoique je fisse tout, en apparence, pour me garder du monde extérieur, je ne rêvais, au fond, que de le voir forcer ma porte et même de le suivre un jour dans ses tournées.

Michel ne travaillait pas. Il étudiait les mathématiques. Mais il était si doué, si intuitif, que cette activité représentait pour lui un jeu auquel il n'acceptait de sacrifier que quelques minutes par semaine. Quand il aurait le temps et s'il parvenait à se lever assez tôt, il présenterait Normale sup. Tout ce que j'appris de lui, par la suite, de ses professeurs me confirma qu'il possédait un talent rare pour les mathématiques, talent qu'on aurait sans doute pu qualifier de génie, s'il avait pu donner les preuves de son étendue. Mais cela ne l'intéressait pas. Pas exclusivement, en tout cas. Les mathématiques étaient pour lui un avatar parmi d'autres de cette complexité intelligible et réjouissante, réjouissante parce que intelligible et plus encore quand elle ne semble pas l'être, qu'on appelle simplement la vie. Parfois, il posait par terre des partitions de Bach et me montrait la figure régulière des arpèges. Il chantait en même temps qu'il suivait les notes avec le doigt, éclatait de rire. Et tout aussitôt il me parlait d'une fille qu'il avait rencontrée la veille dans la rue.

Avant de connaître Michel, j'étais assez pénétré de mon importance. J'avais réussi des examens. On me reconnaissait comme un bon élève. Je me sentais de taille à franchir les obstacles qui se dressaient devant moi, en particulier l'internat. Et puis soudain, sous le regard malicieux de Michel, je me rendais compte que rien de tout cela n'était ni difficile ni propre à susciter la fierté. J'apprenais et je recrachais des notions si simples à comprendre qu'elles ne nécessitaient pas le moindre effort d'intelligence. J'aperçus pour la première fois cette vérité, dont l'évidence ne me frappera que plus tard, à savoir que j'étais un imbécile. Ou plutôt, car jamais Michel n'aurait désespéré un être qui était son ami, que la médecine ne mobilisait pas ce qu'il pouvait y avoir en moi — comme en quiconque — d'audace intellectuelle, de liberté créative. Ainsi naquit l'idée que la médecine ne remplissait pas un vide, celui de mon ignorance et de ma jeunesse, mais faisait écran à autre chose dont j'étais plein : mon imagination, mes rêves, ma vraie personnalité.

Le travail, valeur que j'avais toujours révérée, me parut soudain le misérable et stérilisant effort par lequel, littéralement, je tuais le temps. Comme un âne aux yeux crevés qui tourne une meule, je moulais finement les connaissances qu'on me livrait jusqu'à en faire une poudre assimilable dont je me gavais sans faim.

Pendant les quelques mois que dura mon amitié avec Michel, je cessais pratiquement de travailler. Mon avance était telle que cela ne me porta aucun préjudice. De là à en conclure que tout effort était inutile…

N'ayant plus le prétexte du travail, j'accompagnai Michel dans ses pérégrinations, celles du moins auxquelles il acceptait de m'associer. Car il cloisonnait sa vie, comme nous devions nous en rendre compte. Il tenait à rester le seul lien entre des mondes séparés. Mais il était aussi grand amateur de lieux publics, où je pouvais le suivre. Son amour pour les abstractions complexes, qui le poussait vers les mathématiques, la philosophie, la musique, lui donnait aussi le goût du jeu. Chaque soir, il passait à la Contrescarpe. Tout le monde le connaissait dans les cafés de la place. On y jouait à toutes sortes de jeux et en particulier aux dés. Je n'ai jamais oublié un soir où nous y étions et où il gagnait encore. Nous redescendions la rue Descartes mal éclairée et il me disait : « J'ai de la chance. C'est bizarre. Quand je lance les dés, elle est là, je la sens. Oui, j'ai toujours eu de la chance. » Le lendemain, il était mort.

Son père était un horloger juif qui tenait boutique à la République. Émigrée d'Europe centrale, sa famille avait subi les persécutions nazies. Michel n'en parlait jamais. Il me laissait discourir, avec une assurance stupide, sur le Berry, le pays de mon enfance, sur Alain-Fournier et George Sand. Sans doute avait-il compris que j'étais d'autant plus attaché à ces racines imaginaires que, par l'absence de mon père, je n'en avais pas de réelles. Un jour, il apporta chez moi un petit magnétophone et un sac de cassettes. « Il faut que je te fasse entendre quelque chose », me dit-il. C'était une des dernières chansons de Brassens. Michel riait de toutes ses dents en me regardant écouter la grosse voix qui chantait « tous les cons qui sont nés quelque part ».

Un soir, toujours sans explication, avec une hâte impatiente et brouillonne, il me dit qu'il fallait que je le suive au théâtre. Nous arrivâmes dans une bousculade à l'entrée d'une sorte de bar et Michel, en se faisant connaître, obtint que nous entrions sans faire la queue. À l'intérieur, selon la formule en vogue du café-théâtre, nous prîmes place sur de mauvaises chaises. Il me montra, perché dans des poutrelles d'acier qui servaient de cintres, un homme au front dégarni, avec le même regard malicieux que lui. « C'est mon oncle. Il a fait la mise en scène. » La pièce s'appelait *Ginette Lacaze*. C'était drôle, rapide, plein de sourires et de vie. Un acteur en particulier déchaînait l'hilarité et l'enthousiasme. À l'entracte, avec les autres, il distribua des boissons dans le public sans se montrer trop aimable. Puis il remonta sur les planches pour le deuxième acte, déclenchant de nouveau les applaudissements et les rires. S'il dominait la scène, cet acteur exceptionnel n'était pourtant pas isolé. Entre le reste de la troupe et lui, on percevait une complicité, une tendresse admirables. Aussi quand, l'année suivante, je le vis apparaître seul, sur des affiches immenses placardées dans toute la France, j'eus l'impression qu'il était amoindri par la perte de ses copains. Coluche — c'était lui — restera à jamais pour moi le Bobby de *Ginette Lacaze* et je continue de considérer que le découpage en sketches de son talent équivaut à la vente par appartements d'un monument historique.

Jamais Michel n'a fait entrer dans ma vie autre chose que de l'exceptionnel, du vivant, du vrai. Quand nous allions rejoindre une amie dans les grandes orgues de Saint-Étienne-du-Mont, quand il m'expliquait la géométrie non euclidienne ou que nous jouions au poker, c'était la vie qui pénétrait en moi, la vie que mon studieux parcours d'apprenti médecin tenait soigneusement à l'écart de mon existence. Chaque soir, comme bien d'autres dans Paris, j'attendais le passage de Michel. Je ne savais jamais à quelle heure il viendrait ni quelle idée il apporterait. Mais je guettais son arrivée comme le malade attend la visite de son médecin. Et puis, un soir, circulant avec sa moto d'un monde à l'autre, transportant son énergie tel un Père Noël des cadeaux dans sa hotte, il rencontra un taxi saoul qui n'aimait pas les deux-roues et qui, d'une embardée, le fit tomber. Il eut de la chance, en effet : il est mort sur le coup.

Les orphelins de son amitié se sont retrouvés à Laennec autour de lui, glacé, engoncé dans un cercueil ouvert. Alors, nous nous sommes mis à nous découvrir. Lui qui avait pris grand soin de ne jamais faire se croiser ses amis servit de lien à l'amitié qu'ils se reconnurent. Des amours naquirent. Je quittai mon amie étudiante en médecine pour une fille rencontrée dans le groupe des orphelins de Michel. C'était le premier mur de ma prison qui tombait. Si la relation n'a pas eu de lendemain, elle m'a au moins évité l'endogamie si courante en médecine. D'autres liens se nouèrent. Avec Christian, le mathématicien de Jussieu, qui me fit lire Guy Debord et Jean Paul et me dévoila un peu du génie de Michel. Avec Antoine surtout, fils d'une émigrée polonaise, partagé entre le dandysme sceptique auquel le poussait son intelligence et le sordide arrivisme de l'enfant pauvre qu'il avait été. Comme beaucoup à l'époque, il organisait des caravanes de voitures d'occasion à destination du Niger. Le but était de faire un petit profit en revendant ces 404 épuisées auxquelles les Africains parviendraient pourtant à faire parcourir encore plusieurs fois le tour du monde. L'affaire était trivialement mercantile. L'associé d'Antoine était un petit homme sans idéal ni charme qui ne voyait dans tout cela que de l'argent à gagner. Il cherchait des chauffeurs bénévoles pour accroître seulement son profit et peu lui importaient leurs motivations plus ou moins poétiques. Antoine, au contraire, s'il n'oubliait pas son intérêt, prenait plaisir à l'aventure pour elle-même. En recrutant des chauffeurs, il savait leur parler du désert et de l'Afrique avec une passion non feinte. C'est ainsi qu'il parvint à me convaincre. La mort de Michel, par un de ces savants détours du destin, eut donc pour conséquence de me faire découvrir pour la première fois le continent qui allait jouer un si grand rôle dans ma vie. Sans le savoir, je versais dans le flacon empoisonné de la médecine l'antidote que j'avais cherché en vain. L'Afrique allait dissoudre lentement les obstacles qui me séparaient encore de la liberté.

Le voyage, par l'Espagne puis le Maroc, ne m'a laissé que des souvenirs confus. Agitation, lumière, chaleur, pour moi qui vivais dans un bocal, qui aimais le silence et l'étude, c'était plus qu'une découverte, un viol. Privé de mes défenses habituelles, j'attrapai la première maladie venue, en l'occurrence une amibiase aiguë. À la chaleur s'ajoutèrent la fièvre, la déshydratation. J'ai vécu toute la traversée du Sahara dans un demi-coma. Le désert se réduisit à la succession des pierrailles sur lesquelles je m'accroupissais pour me vider. Je ne repris conscience qu'à Arlit, dans le nord du Niger. L'ambiance dans l'équipe était extraordinaire. À part le chef de l'expédition, qui se montrait taciturne, impatient sans doute de récolter ses sous, tout le monde était exalté, hors de soi, les sens aiguisés par la fatigue, le dépaysement, une vague crainte. Ceux qui sont nés avec le téléphone portable ne le savent pas et les autres l'ont souvent oublié : le voyage à ces époques était synonyme d'isolement. Nous éprouvions ce qu'avaient ressenti pendant des siècles les voyageurs : l'impression — juste — d'être radicalement loin, de ne pouvoir espérer aucun secours, d'avoir changé de monde. Jusque-là la diversité humaine se réduisait pour moi aux différentes maladies par lesquelles les êtres humains expriment leurs souffrances et révèlent leurs fragilités. Et voilà qu'à travers le lent voyage que nous accomplissions, chaque horizon franchi faisait surgir devant nous de nouveaux peuples, des hommes dissemblables dans toute leur santé. En coupant vers le golfe de Guinée, nous traversions les zones de peuplement, disposées en bandes horizontales. Ethnies, langues, coutumes, religions, tout changeait en quelques kilomètres. Touaregs, Haoussas, Peuls, Bambaras, Yorubas, nous écoutions le devisement du monde, selon la formule de Marco Polo. Et, pour la première fois, il ne me parlait pas le langage de la souffrance. Moi qui avais étudié l'être humain abstrait, isolé, l'individu, celui qui sert de support à la science médicale, seul et nu au fond d'un lit, je découvrais l'être humain en société, fortement déterminé par son groupe, relié aux autres dans l'enceinte de la maison, la clôture du village, le territoire de la tribu, les frontières de la nation. Tout un aspect de l'expérience de mon grand-père se révéla à moi : il n'avait pas seulement soigné des individus, il avait été mêlé aux convulsions des peuples, avait connu l'envahissement par la tumeur nazie, avait été témoin de graves fractures au sein d'une France heurtée par les guerres.

Et, confusément encore, je compris que je voulais, moi aussi, avoir affaire à tout l'homme. Jamais je ne pourrais consacrer ma vie à de simples morceaux de la mécanique humaine. L'être humain qui m'intéressait était celui qui vivait en société, interagissait avec les autres, capable, certes, de maladie mais aussi de génie créateur, de révolte, de courage, de foi, de partage et d'affrontement. Je ne savais pas encore vers quoi cette révélation me mènerait : en tout cas, j'étais sûr de ne pas accepter d'aller dans la voie qu'ouvrait de plus en plus à cette époque la médecine spécialisée. Je ne serais pas le médecin d'un organe ou d'une maladie. Je serais le médecin du tout.

Du coup, le savoir médical que j'avais engrangé jusque-là prit une autre valeur : celui d'un moyen et non d'une fin. Il n'y avait lieu ni de l'exalter ni de le mépriser. L'anatomie, la physiologie, la pathologie étaient des instruments neutres, un peu à l'image de la mécanique automobile. Cette comparaison, dans l'ambiance de cette traversée du désert, prit un sens concret. Car nous réparions nos vieilles 404 nous-mêmes, pour leur faire tenir le choc.

À Tamanrasset, par exemple, il fallut changer un disque d'embrayage. Antoine et le chef de l'expédition nous arrêtèrent dans un grand espace poussiéreux et vide, situé en bordure d'une mission de sœurs du Père de Foucauld. Ils commencèrent à démonter le moteur et le déposèrent sur un bidon de pétrole. Un peu plus tard, il se mit à pleuvoir et la place découverte se révéla être le lit d'un oued. Nous n'eûmes que le temps de déplacer les voitures. Pendant que le flot gris s'écoulait en gros bouillons, nous contemplions depuis la berge le bidon sur lequel était posé le moteur, qui trônait au-dessus des eaux.

Chaque fois qu'il y avait une réparation à effectuer, j'observais les mécaniciens, je leur passais les clefs, je leur posais des questions. Je parvins rapidement à acquérir les notions de base sur l'anatomie des moteurs et leur physiologie. Leurs maladies étaient assez stéréo-typées (problème d'allumage, courroie de transmission, joint de culasse, embrayage, etc.). À la fin du voyage, j'étais même capable d'effectuer seul quelques opéra-tions touchant des organes vitaux. Et je continuai à pra-tiquer, au retour, sur des Fiat 500 d'occasion et divers véhicules en fin de vie dont je m'amusais à prolonger l'existence.

J'étais revenu d'Afrique avec, en moi, une cassure nouvelle et profonde qui répartissait la médecine en deux ordres et m'aidait à progresser dans la compréhen-sion de ce que je voulais devenir. D'un côté était l'outil, la médecine comme équivalent de la mécanique auto-mobile. L'une s'enrichissait de l'autre. Je trouvais drôle d'apprendre la cardiologie en imaginant que le cœur était un moteur situé dans le thorax et la mécanique en pensant que le moteur à essence est un cœur qui palpite sous un capot...

Mais de l'autre côté, ce que j'avais jusque-là appelé médecine était, bien au-delà des maladies, des organes et des fonctions, un appel vers l'humain, un intérêt avide pour le siècle, la diversité du monde, les construc-tions et les destructions produites par l'homme, cet être

135

mystérieux, fragile et puissant, et que l'on ne saurait réduire aux organes qui le composent.

Pour être tout à fait juste, je dois dire que cette nouvelle lumière portée sur ce qui m'agitait intérieurement ne jetait pas la moindre clarté sur mon avenir. Je savais mieux ce que je voulais, cependant je n'avais encore aucune idée des moyens que j'utiliserais pour y parvenir.

13

J'exalte la volonté, mais je crois d'abord au destin. On ne peut travailler que sur la matière qu'il nous offre. Notre matériau brut c'est l'imprévu, la chance, le hasard. La mort de Michel avait été le premier de ces hasards, une étape.

Le deuxième fut, sans que je m'y sois davantage préparé, mon service militaire. Après la rencontre de Michel, le traumatisme de sa disparition et la brève période de découverte qui m'avait entraîné jusqu'en Afrique, j'étais redevenu studieux, solitaire et sage. Tout juste avais-je gardé de ces moments intenses la passion des moteurs. Ayant épuisé toutes les possibilités de sursis et de report, je décidai d'accomplir mes « obligations militaires » et de partir en coopération. Les médecins y étaient alors très demandés. J'indiquai mon niveau d'études (cinq ans avaient passé, je venais d'être nommé à l'internat de Paris) et la spécialité à laquelle je me destinais : la neurologie.

On m'affecta à l'hôpital de Sousse en Tunisie. Je partis avec une 404 (évidemment) et l'idée vague de pouvoir traverser de nouveau le Sahara un jour. Je pris le bateau à Marseille. C'était un voyage d'un autre siècle, lent, avec des rencontres dignes d'Agatha Christie : un couple aisé, un vieux militaire, un trafiquant de haut vol qui avait la ferme intention de les escroquer et qui m'utilisa pour faire connaissance. Ensuite, il y eut le débarquement dans la chaleur et les cris, la route poussiéreuse où se mêlaient les voitures brinquebalantes, les mobylettes chargées de cageots et les ânes.

Quand j'arrivai à Sousse, à l'hôpital Farhat Hached, je découvris que le service de neurologie était en construction. Son chef, une femme influente qui serait plus tard ministre de la Santé, avait obtenu un coopérant avant même l'ouverture des locaux. Elle me reçut aimablement et m'indiqua qu'elle n'avait pas pour le moment d'emploi chez elle. En revanche, comme elle était doyenne de la Faculté de médecine, elle avait le pouvoir de m'affecter ailleurs.

« Où ? demandai-je avec une certaine angoisse.

— Les besoins sont importants en obstétrique. »

Voilà comment je me retrouvai commis aux accouchements, sans même en avoir jamais pratiqué un seul.

Il n'est pas donné à tout le monde de faire son service militaire dans une maternité. J'ignorais que cette affectation originale pour un soldat serait au moins aussi dure qu'un casernement à Mourmelon.

L'hôpital était moderne et, dans l'ensemble, bien équipé. On y pratiquait des opérations complexes, notamment en chirurgie cardiaque ou en ophtalmologie. Les services de médecine, de pédiatrie, de gastro-entérologie étaient d'excellente tenue. Le seul département à l'écart de ces progrès était la maternité. Je ne sus jamais si c'était l'effet d'un simple retard ou s'il fallait

138

voir là une politique délibérée. Inquiets d'une démographie galopante, il n'est pas impossible que certains dirigeants aient choisi de ne faire aucun effort pour sauver les nourrissons et préserver les grossesses.

En tout cas, l'évidence était là : la maternité était dépourvue de tout. Notre dotation de gants ne permettait pas de terminer l'année, nous manquions d'anesthésiques, de liquide de perfusion, d'antibiotiques. Pour ne pas parler du matériel plus sophistiqué (échographie, etc.) qui faisait totalement défaut. Mais ce dont le département était le plus cruellement privé c'était de médecins. Les soins (le mot est à peine utilisable ici) étaient assurés par des praticiens russes et roumains. Techniquement compétents, ils étaient à leur aise puisque le niveau d'équipement du service correspondait à peu près à ce dont ils disposaient dans leur propre pays. Leur fréquentation fut pour moi la révélation de ce que peut être la médecine lorsqu'elle n'est accompagnée ni d'un progrès scientifique et industriel, ni surtout d'un code éthique du respect du malade.

La seule motivation de ces coopérants de l'Est était l'espoir d'approcher en Tunisie des modes de consommation occidentaux. Ils passaient tous leurs loisirs à tenter d'acquérir avec leur maigre salaire les derniers produits de l'industrie nippone ou américaine de l'électronique. Cela seul leur faisait supporter l'existence dans un pays trop chaud peuplé de gens qu'ils méprisaient et qui le leur rendaient bien. Ils allaient à la maternité avec le même enthousiasme qui conduit chaque matin les ouvriers à l'usine. L'ambiance, grâce à eux, était celle d'un abattoir. Les femmes étaient disposées en rang, examinées sans ménagement, classées sans un mot d'explication. Des sages-femmes assuraient la traduction vers le français que les Roumains parlaient un peu et la doctoresse russe pas du tout.

Une règle presque absolue dans les groupes humains veut que le ton soit donné par le haut de la hiérarchie. Les infirmières et sages-femmes tunisiennes calquaient leur attitude sur celle de leurs supérieurs étrangers. Elles partageaient avec eux des propos grivois, des tuyaux de consommateurs, et un mépris violent des pauvres Bédouines qui attendaient sur les tables de travail, ouvertes, saignantes, en pleurs. La gifle était le moyen ordinaire de leur imposer le silence et quand elle ne suffisait pas, le bâillon. L'ambiance était celle d'une ferme à la saison des vêlages. Au moins, les salles d'accouchement étaient plus confortables. Après tout, les femmes qui venaient, rudes, maltraitées depuis leur naissance, dures au mal, ne s'attendaient sans doute guère à plus de considération. Là où l'on atteignait aux sommets de l'horreur, c'était dans les petites pièces réservées aux ratés de la mise au monde. Avortements, extractions de fœtus morts à terme, grossesses pathologiques étaient traités au fond du couloir, dans un lieu dévolu à cet effet quoique semblable à tout le reste du service. Faute d'anesthésique et sans en être autrement affectés, les médecins de l'Est ordonnaient souvent à cinq ou six personnes de tenir la femme qu'ils allaient opérer. De la mêlée de coups et de cris sortaient deux jambes nues, laborieusement écartées par les sages-femmes. Alors, tranquillement assis, comme un OS à la chaîne, sifflotant, le médecin roumain — l'un d'eux, au physique de boucher, s'était spécialisé dans ces interventions — introduisait le spéculum, attrapait le col avec une longue pince dont les deux pointes s'enfonçaient dans le velours rose de la muqueuse utérine. Puis il élargissait l'orifice, introduisait la curette, raclait jusqu'à ce que retentisse le fameux cri que la patiente, décidément peu respectueuse de la sémiologie, persistait à recouvrir de ses propres hurlements.

Je tins quelques mois dans cet enfer, de garde un jour sur deux, persuadé d'avoir rejoint en horreur mon grand-père dans les tranchées. Et je ricanais en me disant que c'était mon Chemin des Dames. En peu de temps, j'accumulai une énorme expérience : je sus diagnostiquer toutes les présentations vicieuses : siège (très courant), épaule, front, etc. J'appris à réagir devant des complications évidemment non dépistées et je vis des tableaux cliniques presque inconnus dans les pays développés (ruptures utérines notamment, liées à la déchirure d'utérus fragilisés par de très nombreuses grossesses).

Comme je n'avais pas l'intention de devenir accoucheur — si l'idée m'avait traversé l'esprit, un tel séjour m'en aurait vite dissuadé —, ces connaissances ne me servaient à rien. Le seul profit que j'en ai tiré est de ne plus avoir peur aujourd'hui, quand je m'assois à côté d'une femme enceinte dans un train, de la voir accoucher devant moi : je saurais à peu près ce qu'il faut faire...

Dès que j'en eus la possibilité, je m'échappai de ce lieu de malheur. Quand, au bout de six mois, j'arrivai dans le service de neurologie enfin ouvert, j'eus l'impression d'être un convalescent. Je pouvais de nouveau dormir, me promener, voir des amis. Mon travail se résumait à lire des électroencéphalogrammes. Je me rendis compte bien vite que cette activité n'était pas tout à fait étrangère à mon passage en maternité. Là-bas, j'avais appliqué des forceps, accouché des enfants mal surveillés, à moitié étranglés par leur cordon... Maintenant, j'avais affaire aux mêmes mais... quinze ans plus tard, épileptiques. Ainsi m'apparaissait toute l'absurdité du calcul de ceux qui appauvrissaient la maternité en croyant faire baisser la pression démographique. Ils parviendraient — peut-être — à diminuer un peu la natalité, mais ils grevaient surtout le pays d'une lourde morbidité néonatale dont les séquelles accompagneraient des milliers de vies handicapées.

Le profit pour moi de cette année et demie passée en Tunisie ne se situa évidemment pas au niveau technique. En revanche, m'était révélée, grâce à la médecine, une autre société, dans sa complexité et son attente. Les amis à qui j'avais annoncé que je partais pour la Tunisie m'avaient tous dit : « Quelle chance tu as ! Tout le monde parle français là-bas, c'est un pays de vacances, de plages, de grands hôtels. Tu ne seras pas dépaysé. »

Je trouvai en effet les plages, les hôtels et des gens parlant français. Mais dans ma maternité et même ensuite en neurologie, je découvris un autre pays que les touristes ne voient pas ou qu'ils aperçoivent de loin, comme un décor folklorique. Un pays de souffrance et de tradition, avec sa langue, sa religion, ses mœurs qui n'avaient que peu à voir avec la France et les Français. Un pays profondément autre.

Une maternité en terre d'Islam... Lieu de la mise au monde, foyer originel de la famille, domaine de femmes dont les hommes voudraient passionnément percer le mystère, cet endroit noir et sordide était le siège d'une vie secrète, essentielle, douce... À l'entrée du service, un gardien armé d'un bâton était chargé de repousser la meute hurlante et menaçante des maris. La porte se refermait sur leurs doigts ; il fallait parfois prêter main-forte au chaouch. Au-dedans, les femmes souffraient, mais on sentait en même temps le soulagement d'échapper à la pression de l'homme. Je surprenais parfois des scènes de harem : femmes assises sur le même lit, l'une qui chante et l'autre qui peigne ses longs cheveux.

Les patientes arrivaient des villages de l'intérieur à dos de mulet. Elles étaient revêtues de l'ample tunique rouge amarante des Bédouines, avec leur système compliqué de ceintures et de jupons. J'appris un peu d'arabe pour pouvoir communiquer avec elles. Mais la difficulté de cette langue ne me permettait guère d'en saisir les subtilités. J'avais pourtant la plus grande envie d'observer et de comprendre. Ces femmes ne m'intéressaient ni comme objets de désir — rien n'était moins excitant que cette boucherie aux odeurs fades — ni comme phénomènes médicaux. En revanche, j'avais l'impression, en pénétrant dans ce service, de franchir le seuil d'un sanctuaire. Ces êtres avec lesquelles je ne pouvais pas parler étaient pour moi aussi mystérieuses que des inscriptions tracées dans une langue inconnue. D'ordinaire invisibles, dissimulées par l'autorité jalouse de leur mari, elles étaient livrées là dans leur simplicité, sans intermédiaire, sans pudeur ni réticence. Plus que les plages, les hôtels, les gens parlant français, elles étaient ce que j'étais vraiment venu chercher : un ailleurs, une différence radicale.

À Paris, pendant que j'exerçais dans le cadre immuable et rassurant de mon hôpital, il me semblait que tous les êtres humains étaient semblables et que seules leurs maladies étaient distinctes et variées. En Tunisie, je comprends qu'au contraire les maladies sont universelles : exactement semblables sous toutes les latitudes. Ce sont les humains qui diffèrent.

L'épisode tunisien eut un autre mérite, plus inattendu encore. Pour la première fois en effet, je découvris directement l'existence de la politique.

Jusque-là, je n'avais prêté aucune attention à cet aspect de l'existence. Je ne connaissais que l'Histoire, celle que je lisais dans les romans ou les manuels — elle me passionnait. C'est sous sa vedette que je classais des événements comme la Seconde Guerre mondiale ou l'arrivée au pouvoir du général de Gaulle. Comme tous les gaullistes d'alors, mes grands-parents tenaient le grand homme pour un sauveur et n'avaient que mépris pour les politiciens « qui avaient mené à la guerre ». Au contact de camarades de lycée récemment rentrés d'Algérie, je découvrais avec effarement que l'on pouvait contester à de Gaulle son génie et s'intéresser à des combats de partis. Je n'y vis qu'un effet du traumatisme qu'avaient subi les rapatriés. Un peu plus tard, je traversai Mai 68 en spectateur plus qu'en acteur. J'avais quinze ans ; les manifestations me semblaient un don du printemps, l'occasion de prolonger le chahut qui saisit toujours les lycéens à l'approche des vacances. Trop jeune encore pour comprendre ce qui se passait, j'oscillais entre le plaisir d'assister à un spectacle et l'espoir délicieux d'être peut-être en face de l'Histoire. Moitié par lâcheté — pour ne pas être pris pour cible —, moitié par courage — cela me permettait de rester sur les barricades jusqu'à la charge des CRS —, je cédai à l'instinct de ceindre mon bras d'un bandeau portant une croix rouge. Toute ma science se résumait à l'époque en un brevet de secouriste obtenu de justesse.

J'étais à ce point ignorant de la politique que lors de la manifestation aux Champs-Élysées pour saluer le retour de De Gaulle, je défilai avec le même enthousiasme que j'avais mis la veille à me faufiler entre les brasiers des voitures incendiées. La présence du Général ôtait mes derniers doutes quant à la nature des événements : elle leur conférait incontestablement une valeur historique, même si c'était pour y mettre fin. Ainsi ai-je vécu cette révolution, l'esprit enfiévré de références historiques et de rêves héroïques. Jamais je n'eus l'idée de la prolonger par un engagement politique « ordinaire ». Comme beaucoup, j'avais eu un haut-le-cœur en voyant Mendès France et Mitterrand proposer leurs services au stade Charléty. Les politiciens devaient décidément rester au rancart. Je revins à mes études.

Or il advint qu'en Tunisie, quelque chose d'inconnu me frôla, qui ouvrit mes yeux à la politique.

Sous l'influence de celle qui allait devenir ma première femme, une jeune étudiante française d'origine russe que j'avais rencontrée au mariage d'un de mes collègues, je me mis à fréquenter la colonie russe de Sousse. Elle était essentiellement constituée par la gynécologue qui travaillait avec moi à la maternité et son mari. J'avais toujours considéré cette femme comme une pauvre d'esprit, sadique et paresseuse, mais elle se para à mes yeux de qualités nouvelles lorsque j'eus l'occasion de me régaler des *pilmeniy* qu'elle cuisinait chez elle. Il faut reconnaître qu'elle mettait plus d'adresse et de douceur à les confectionner qu'à fouailler dans le périnée des malheureuses qui échouaient à sa consultation. Tout se résuma à quelques repas et à un ou deux pique-niques pendant lesquels je m'efforçais de rester au vent de ma consœur. Aspergée de patchouli, elle faisait un usage parcimonieux du savon et les robes en nylon sans manches qu'elle mettait pour se promener dans la nature ne faisaient pas obstacle à la diffusion d'une insoutenable odeur d'aisselles. Je ne prenais aucun goût à ces rencontres pendant lesquelles, de plus, je ne comprenais pas un mot de la conversation.

Rentré en France, je repris mon travail comme interne. Mon fils Maurice était né. Je lui avais donné le prénom de mon grand-père, essayant maladroitement, comme tous les enfants élevés sans leurs parents, de construire non pas seulement une famille mais une dynastie.

La Tunisie était loin. Les nuits trop courtes me reposaient mal des journées de travail intense. Le gris de Paris, le blanc des blouses, le vert d'eau des couloirs d'hôpital avaient remplacé les vives couleurs de la Méditerranée.

Et voilà qu'un jour, en ouvrant ma boîte aux lettres, je découvris un petit pli d'un joli bleu qui pouvait rappeler la mer. Il contenait une convocation à la Direction de la Surveillance du Territoire, rue des Saussaies.

Avec ce talent inimitable de la police pour vous transformer intérieurement en coupable, les fonctionnaires qui m'accueillirent me firent d'abord méditer sur mes fautes pendant une heure et demie dans une cabine étroite et nue, sans fenêtre. Ensuite, ils me conduisirent auprès de deux inspecteurs en bras de chemise, assis sur le rebord d'un bureau, façon Eliot Ness dans *Les incorruptibles*. La pièce était sombre. Une lampe forte était dirigée vers le mur. Je sentais qu'il ne tenait qu'à moi de l'avoir braquée en plein visage.

Commença un long interrogatoire sur mes fréquentations, mes opinions politiques, ma connaissance de l'Union soviétique. Ce fut pour moi la première occasion de constater à quel point médecine et police sont deux approches radicalement opposées. Les questions que pose le médecin ont pour but de faire du bien à la personne qu'il interroge. S'il traque l'erreur, c'est pour démasquer une vérité qui sauverait celui au regard de qui elle est cachée. Le policier cherche le mal et, nécessairement, le trouve. Il considère le mensonge comme un acte volontaire qu'il est de son devoir de contrarier.

La particularité de l'humain est de ne pas se réduire à une seule nature : en y mettant suffisamment d'énergie, on peut transformer n'importe qui en victime ou en coupable. J'avais devant moi des personnages qui opposaient à toutes mes réponses un scepticisme ironique qui ne me laissait aucun doute quant à leur intention de me condamner.

En réalité, j'avais tort. Ils étaient bien tels que je les percevais, mais leurs informations sur moi étaient assez précises pour qu'ils sussent sans doute possible que j'étais un pur benêt, sans conscience politique ni malignité aucune. Mes affligeantes réponses trahissaient une ignorance crasse de l'actualité internationale. S'ils faisaient mine de la mettre en doute, c'était seulement pour me faire peur. D'ailleurs, au bout d'une heure, ils passèrent à une autre phase de l'entretien. Il n'était plus question de m'interroger mais de m'informer. À l'aide d'un carrousel de diapositives, ils projetèrent sur un écran les portraits des principaux personnages russes que j'avais rencontrés en Tunisie. Je reconnus ma consœur de la maternité et son mari. Ils étaient saisis dans la rue, des paquets à la main, probablement à la sortie d'un souk où un trafiquant venait de leur refiler un magnétoscope cassé ou un rasoir électrique hors d'usage. Vinrent ensuite des images d'amis qu'ils nous avaient présentés et qui s'étaient joints à nous dans une de nos sorties. Les policiers s'attardèrent tout spéciale-ment sur l'un d'entre eux. Nous avions passé l'après-midi dans les dunes en sa compagnie. J'avais surtout remarqué ses jambes musculeuses qui sortaient de son short large. Elles étaient lisses comme celles d'un cou-reur cycliste. Quand on m'interrogea au sujet de ce per-sonnage, tout ce que je pus dire était qu'à mon avis, il s'épilait les jambes. Les agents secrets étaient effondrés devant ma bêtise. C'est à ce moment qu'ils décidèrent de me dessaler.

« Il s'agit d'un très haut responsable du KGB, me dit l'un des policiers sur un ton d'instituteur. Il est en charge des contacts pour la France et l'Europe du Sud. »

Je n'en revenais pas. On rencontre vraiment n'importe qui dans les pique-niques. Au fond de moi, j'étais fier d'avoir été approché par un homme d'une telle impor-tance. En même temps, j'étais un peu déçu qu'un contact aussi sérieux ait eu lieu sans chapeau mou ni imperméable, sans arme à la ceinture ni brumes berli-noises. Je revoyais le short et les jambes sans poil et j'y sentais comme une insulte.

Les policiers me révélèrent beaucoup d'aspects du combat secret entre l'Est et l'Ouest. Aucun ne consti-tuait un secret d'État et quelqu'un qui aurait lu réguliè-rement les journaux n'aurait rien appris. Mais, pour moi, ces notions étaient bouleversantes de nouveauté. Elles levaient le voile sur une réalité proche, omniprésente, puisque, à ce que je comprenais, elle se glissait jusque dans mon lit. Le lien entre ma belle-famille et ces agents de l'Est était suggéré sans être explicite. Même un niais de mon espèce pouvait comprendre. Je ressortis de là en ayant juré silence et vigilance. Mais en rentrant chez moi je sentais, derrière chaque platane, à l'angle des rues, dans les vitrines, la présence indiscrète de forces maléfiques. Elles empruntaient leurs traits au haut gradé du KGB que j'avais croisé en Tunisie. La politique avait fait son entrée dans ma vie. Elle n'était pas arrivée par l'intérieur, sous forme d'un engagement partisan en France. Elle m'était venue, à l'échelle internationale, à travers le combat des États, combat virtuel, mais qui pouvait devenir redoutablement concret.

Sartre raconte qu'il a compris toute la puissance dont disposait l'État le jour où un gendarme est venu lui apporter ses papiers militaires : ainsi le gouvernement, cette entité lointaine, invisible, pouvait l'envoyer à la mort. La convocation rue des Saussaies fit sur moi un effet semblable. Des mondes s'entrechoquaient loin au-dessus de ma tête et pourtant, à tout moment, ils étaient susceptibles de descendre jusqu'à moi et de me broyer. La leçon n'eut pas à servir dans l'immédiat, mais elle était apprise et je ne doute pas qu'elle ait orienté mes choix un peu plus tard, lorsque se présenta dans ma vie l'invention géniale qu'était Médecins sans frontières.

14

L'interview avait lieu devant la tour Nobel, à la Défense. C'était à l'époque le symbole d'une modernité audacieuse et controversée. J'étais allé visiter le chantier avec ma mère, car elle avait pris résolument parti pour ce monde nouveau qui sortait de terre et qui la vengeait de la médiocrité de son enfance petite-bourgeoise.

L'homme était filmé à contre-jour, par en dessous. Il parlait vite et fort. Les mots qu'il disait me semblaient sortir de moi, tant ils énonçaient, avec simplicité et clarté, ce qui s'agitait confusément dans mon esprit. Il parlait d'état d'urgence à l'échelle du monde, de guerres répandues sur le globe qui exigeaient une solidarité. Surtout, il était médecin et se faisait le héraut d'une pratique nouvelle qui haussait la médecine aux dimensions de la planète. Il parlait d'individus, de victimes, et l'on retrouvait la pratique classique du médecin qui s'adresse à des patients. Mais ce dont souffraient les gens au chevet desquels il se portait n'était pas une maladie, un accident individuel : c'étaient des convulsions de plus grande ampleur qui broyaient des sociétés entières et les entraînaient dans leur chute. Telle était exactement la médecine dont je rêvais.

L'homme qui parlait ainsi à la télévision s'appelait Bernard Kouchner. Il était encore parfaitement inconnu. Mais déjà j'avais décidé de le suivre.

Souvent, chez moi, comme le dit une jolie expression française, il y a loin de la coupe aux lèvres. L'adhésion aux idées exprimées par Kouchner ne m'entraîna pas à le rejoindre par une démarche volontaire. J'aurais pu tout simplement chercher les coordonnées de Médecins sans frontières, l'organisme qu'il venait de créer et dont il faisait la promotion à la télévision. Il m'aurait été facile de m'y rendre et de proposer mes services. Peur, timidité, besoin de sentir que le hasard se met de la partie pour décider de ma vie, en tout cas, je ne pris aucune initiative active. Je me contentai de répandre dans mon entourage l'enthousiasme qu'avait suscité en moi l'apparition de ce personnage charismatique qui portait une grande idée. Et ce cri, franchissant l'espace, me revint en écho sous la seule forme qui fût vraiment à même de me convaincre d'agir : providentielle, inattendue, marquée par la chance et donc, à mes yeux, par le destin.

Il se trouvait que le frère d'un de mes amis d'enfance, qui m'avait entendu parler de Kouchner, s'était rapproché de lui et participait de façon lointaine aux réunions de son association. Par son entremise, mon nom arriva jusqu'au groupe encore très réduit qui se chargeait d'organiser les missions. Plusieurs mois s'écoulèrent. Survint une urgence pour laquelle personne ne se révéla disponible. On pensa à moi. Un jour, mon ami me téléphona à l'hôpital. Je venais de terminer la visite de ma salle, en neurologie. J'avais eu mon content de petits et grands malheurs pour la journée. On ressort toujours de ces exercices un peu groggy, comme un joueur de tennis qui vient de renvoyer des centaines de balles coupées, frappées à toute volée pour le mettre en échec, vaguement heureux tout de même d'avoir su répondre à tout.

« Tu as lu les journaux ? » me demanda mon ami.

C'était bien la dernière chose à quoi j'aurais consacré mes loisirs, si j'en avais disposé.

« Il y a eu un attentat à Djibouti, poursuivit-il. Quelqu'un a lancé des grenades dans le "Palmier en zinc".

— Le "Palmier en zinc" ?

— C'est un café fréquenté par les militaires et les Français. L'indépendance se prépare là-bas. Tu es au courant ? »

L'indépendance... La politique. L'entretien à la DST me revint en mémoire et avec lui un vague frisson de crainte, de curiosité aussi. La politique était entrée en moi sous les couleurs romantiques du complot et de l'action secrète.

« Bref, s'impatienta mon sergent recruteur, la situation est instable et il y a pas mal d'extrémistes qui vont vouloir jouer leur carte. Le résultat c'est que la France craint le pire. Le Quai d'Orsay a décidé de retirer ses coopérants.

— Et alors ?

— Alors, nous, on reprend leurs missions.

— Nous, Médecins sans frontières ?

— Non, le pape. »

J'ai toujours posé des questions considérées comme stupides. En vérité, j'ai besoin que l'on me confirme les évidences. Les idées complexes, je me les approprie, je jongle avec elles sans retenue. Le b.a.-ba me semble toujours inattendu, incroyable et digne d'être répété plusieurs fois.

« Tu es toujours disponible ?

— Moi ? Pour... aller là-bas ?

— On a du mal à trouver du monde », s'impatienta mon ami, comme pour se justifier de perdre autant de temps avec quelqu'un d'aussi mou.

J'étais appuyé sur une paillasse de faïence dans le poste des infirmières. Autour de moi, reluisait un univers blanc de blouses, d'alèses, de porcelaine : un hôpital français, un service hyperspécialisé, ma vie blanche... Djibouti.

« Le mieux, c'est que tu passes à l'association ce soir, abrégea mon correspondant. Tu verras les types qui s'en occupent et vous discuterez directement. »

Il me transmit l'adresse et raccrocha. Ainsi fut pris mon premier rendez-vous avec une autre vie.

J'arrivai vers huit heures du soir. Le siège de Médecins sans frontières était situé à l'époque rue Crozatier, sa toute première implantation. À partir d'une certaine heure, la vitrine qui donnait sur la rue était fermée. Il fallait passer par l'entrée de l'immeuble, se frayer un chemin à travers les poubelles et atteindre une petite porte peinte en marron. Il y a des vies qui empruntent les voies royales, les escaliers monumentaux, les portes ouvertes à deux battants. La mienne est plutôt familière des entrées de service. Je les franchis de confiance car mon expérience m'a prouvé qu'elles mènent aussi loin et aussi haut que les autres et réservent plus de surprises.

Trois personnages m'attendaient. L'un d'eux était grand, maigre, le visage ascétique, le regard vague. Il parlait peu, lentement, fixait le vide. Il avait l'air d'un saint et, pour une fois, c'en était un. Chirurgien, chrétien solidaire, convaincu, fervent, il s'était illustré au Biafra en opérant jusqu'à la chute de la zone rebelle. L'armée gouvernementale l'avait capturé indemne puis relâché avec les honneurs tant il forçait le respect.

Un autre de mes interlocuteurs, plus âgé que moi lui aussi, ne paraissait pas pouvoir tenir en place. Il se levait, s'asseyait, se relevait et déambulait dans la petite pièce — le local en comptait deux — aux murs couverts de dossiers et de journaux empilés. À mesure que durait la discussion, que je posais des questions, émettais des objections, il s'impatientait de plus en plus. Il haussait les épaules, poussait des soupirs, levait les yeux au ciel. Je compris qu'il était de ces hommes pour qui l'action procède d'un élan presque animal qui laisse derrière lui tout scrupule et même toute intelligence. Seuls comptent la passion d'agir, l'indignation ou le plaisir qui la motive. Je sus par la suite qu'il allait bien au-delà de ce que j'avais imaginé lorsqu'il était entraîné par ses pulsions. Le troisième était Lénine. Vladimir Ilitch en personne. Petit, le crâne dégarni, l'œil brillant, seule sa moustache de chat le distinguait de son sosie de la révolution d'Octobre. Il m'accueillit avec une politesse froide qui, malgré tout, me fit du bien car elle contrastait avec la distance un peu méprisante des deux autres. Il m'expliqua complètement la situation et j'avais l'impression d'être revenu devant mes inspecteurs rue des Saussaies. Il détailla ensuite pour moi la mission qu'avait décidé de monter Médecins sans frontières. Deux grands camps, à

154

Dikhil et Ali Sabieh, regroupaient plusieurs dizaines de milliers de réfugiés. Il fallait sortir de Djibouti-ville — première difficulté car la ville était bouclée depuis les attentats — et rejoindre les camps afin de donner des soins à ces populations.

« Combien de temps ?

— On a besoin de quelqu'un qui puisse partir tout de suite et rester quinze jours. Un autre médecin prendra la relève mais pas avant deux semaines.

— Quinze jours, c'est sûr ? Pas plus ? »

Soupir excédé du dromomane.

« Pas plus, confirma Lénine sans montrer d'humeur.

— Et là, sur la carte, c'est quoi, cette croix ?

— L'endroit où ont été assassinés deux instituteurs la semaine dernière. »

J'ai dû blêmir. En tout cas, l'homme en colère s'arrêta et me regarda avec un sourire mauvais.

« C'est comme ça, mon vieux, y a des risques. Maintenant, tu y vas ou tu y vas pas. Parce qu'il est déjà dix heures et qu'on n'a pas tout à fait que ça à faire… »

Malgré la terreur que m'inspirait ce personnage, je trouvai le courage de résister. Il fallait que j'en parle à mon patron. Je ne pourrais donner ma réponse que le lendemain. Lénine vint à mon secours et convint que c'était légitime, qu'il comprenait. Je partis en sentant, planté dans mon dos, le regard ironique et mauvais de mon persécuteur.

Le lendemain, comme promis, j'allai voir mon chef de service. C'était un grand neurologue imbu de sa personne et très snob. Il n'était pourtant pas exempt de générosité et il m'aimait bien. Il accueillit ma demande avec l'indulgence que l'on a pour un caprice d'enfant.

155

« Médecins sans frontières, prononça-t-il en détachant les mots comme s'il se fût agi d'un néologisme barbare. Qu'est-ce que c'est encore que cette invention ? »

L'association était peu connue. Elle n'avait pas acquis l'immense notoriété qui est la sienne aujourd'hui. Je tâchai d'expliquer ce dont il retournait mais mon vieux maître hochait la tête avec le même air qu'on lui voyait prendre lorsqu'on annonçait à propos d'un patient un diagnostic faux.

« C'est des vacances que vous voulez, hein ? Vous êtes fatigué, peut-être ? Un gaillard comme vous... »

Parmi ses marottes, nous savions que figuraient en bonne place la haine pour la fatigue et la condamnation sans appel des maisons de convalescence. « La fatigue n'est pas une maladie et le repos n'est pas un traitement », avait-il coutume de dire. Et de déclamer un vers de *Bérénice* (dont je n'ai jamais vérifié l'authenticité) : « L'existence m'épuise et le repos me tue. » C'était mal parti.

Je tentai de remonter la pente. Je parlai des camps de réfugiés, du « Palmier en zinc », de l'indépendance prochaine de Djibouti. Mais le professeur appartenait à cette génération de grands patrons pour qui la souffrance n'apparaissait intéressante que lorsqu'elle était individuelle. Il n'avait pas encore été contaminé par les approches collectives de la médecine de catastrophe qui prend en compte des populations entières. Face à une foule souffrante, il cessait d'être un médecin et redevenait simplement un grand bourgeois pour qui la première urgence est de se mettre à l'abri. Il jugea prudent de ne pas me suivre sur le terrain de ces convulsions politiques et revint à son idée première.

« Pour des vacances, la mer Rouge n'est pas une mauvaise idée, j'en conviens. Si vous faites de la plongée, il paraît que les fonds sont superbes. »

J'abandonnai la lutte.

« Quinze jours, implorai-je faiblement.

— Quinze, d'accord. Mais pas un de plus. J'ai votre parole ? »

Lénine, quand je lui avais posé la question, n'avait pas été catégorique. « Le pays est en quasi guerre civile. Si ça se gâte, il est possible que les avions ne puissent plus atterrir pendant quelques jours. Pour être tout à fait honnête, on ne peut rien promettre. »

Je préférai ne pas mentir à mon patron et je lui fis part de ce risque.

« En ce cas, me dit-il, n'y allez pas. »

Mortifié, j'appelai le soir Médecins sans frontières pour dire que je ne pouvais pas partir. Histoire de me dédouaner moralement, je proposai le nom d'un camarade qui avait travaillé avec moi en Tunisie. Ce fut lui qui partit.

Il revint au bout de quinze jours. Tout ce qu'il me raconta me rendit malade de regret. Il avait quitté la ville sur le plateau d'un camion entouré d'hommes en armes, acclamés par des foules surexcitées, ivres de leur liberté toute proche. Dans les camps, accueil magnifique. Il me dit les réfugiés, le désert, la beauté grave des Somaliens. Il me parla de la médecine qu'il avait faite là-bas : simple, rudimentaire, un peu brutale faute de moyens pour réduire la douleur. Mais jamais il n'avait eu le sentiment d'être aussi immédiatement utile. En rentrant, on lui proposa de faire partie du Conseil d'administration de Médecins sans frontières, instance décisionnelle, soixante-huitarde et braillarde où l'on refaisait le monde une fois par mois jusqu'à trois heures du matin.

J'eus le sentiment d'un rendez-vous manqué, d'une lâcheté que je payais d'un surcroît d'abrutissement et de dégoût pour ma pratique parisienne. Hamster en blouse blanche, je tournais dans ma roue, j'arpentais mon couloir, sans autre horizon que le ciel couvert de nuages au-dessus de la gare d'Austerlitz. Toute mon énergie passait à répondre aux sollicitations du service. Je n'en avais pas de reste pour mener en parallèle d'autres études — de biologie, de science — ni m'engager dans une recherche. Je me condamnais ainsi à ne pas avoir d'avenir dans le système hospitalier. Car, pour aller plus loin, être agrégé puis professeur, il fallait justifier de travaux personnels, démontrer que l'on représentait une plus-value. Mon attitude était, à terme, un véritable suicide. Je me noyais dans le quotidien mais sans espoir d'en retirer la moindre gratification pour l'avenir. Cette servitude volontaire me rendait profondément malheureux. Pour y porter remède, il fallait que quelque chose advînt de l'extérieur.

Ce signe arriva au bout d'un an quand l'ami qui m'avait remplacé à Médecins sans frontières me pressa de venir un soir à une de leurs réunions. Il allait s'y passer, me dit-il, des choses importantes et l'on aurait peut-être besoin de moi...

L'association avait changé de siège. Le bureau était maintenant rue Daviel, dans le 13e arrondissement. Il occupait le premier (et dernier) étage d'un bâtiment en béton entouré d'immeubles modernes et très laids. On y accédait par un escalier en spirale qui aboutissait à un petit palier en plein air. La superficie totale des locaux n'excédait pas trente mètres carrés.

Quand j'arrivai, après avoir dîné avec mon ami, la salle était déjà pleine. Il régnait dans l'assistance une tension palpable, bourdonnante. Il me semblait distinguer parmi les participants des regroupements hostiles, dont les frontières n'étaient pas nettes. Je reconnus, parmi ceux qui étaient assis dans la salle, Bernard Kouchner, l'homme par le verbe de qui j'avais été séduit et auquel je devais, en somme, mon engagement. Il était vif, riait fort, embrassait les arrivants qui venaient le saluer familièrement. J'avais pourtant l'impression qu'ils venaient lui présenter leurs hommages comme à un grand marabout, un chef.

Face au public, un bureau métallique et quatre personnes parmi lesquelles je reconnus Lénine, un peu en retrait, les yeux baissés, l'air modeste et concentré. Derrière le bureau, en col roulé noir, un type au physique de malfrat viril, le visage buriné, tout droit sorti d'un film de Melville. Il s'efforçait visiblement de prendre, malgré la rudesse de ses traits, une expression de douceur un peu extatique comme on en voit aux marins et aux criminels dans les villes de Méditerranée quand ils défilent en portant de lourdes statues de la Vierge et chantent des cantiques d'une voix d'ange. Devant lui, de l'autre côté du bureau, un grand et beau garçon dont je sus par la suite — mais j'en eus le pressentiment sur l'heure — qu'il était ceinture noire de karaté. Enfin, dernier personnage du drame qui allait se jouer, un petit homme serré dans un costume de flanelle à fines rayures. Il avait cette élégance fripée de gens qui portent des vêtements de bonne coupe mais sans en changer jamais, dormant et mangeant avec, au point qu'ils finissent par ressembler à la toison naturelle d'une bête sauvage.

L'homme au physique de contrebandier égrena d'abord un ordre du jour fastidieux. En guise d'apéritif, on expédia sans passion plusieurs points techniques. Puis je sentis qu'on en arrivait au fait.

« Je passe la parole à Raymond Borel », annonça le président de séance.

Le personnage qui portait une toison de flanelle se leva et commença à parler d'une voix légèrement cassée. Raymond Borel était un grand journaliste ou plutôt un concepteur de journaux, dans le registre populaire. Il avait vécu à l'étranger, notamment en Angleterre, d'où il avait rapporté, outre son costume, une grande connaissance des tabloïds. Il avait lancé en France plusieurs titres à succès — *Détective* devenu *Qui ? Police*. Il avait ensuite transposé son savoir-faire dans la presse médicale et créé un tabloïd de grande efficacité intitulé *Tonus*. Doué d'un exceptionnel sens du « coup » médiatique, il avait tout de suite compris quelle formidable expérience avaient rapportée les jeunes médecins au retour du Biafra. Il les avait encouragés à prolonger leur action par la création d'une association et avait lancé les premiers appels dans son journal, notamment pour recruter des volontaires pour partir au Bangladesh. Pendant plusieurs années, la comptabilité de Médecins sans frontières avait été assurée au journal *Tonus*, qui fournissait également des locaux à l'association — la rue Crozatier devait venir ensuite. L'amitié de Raymond Borel et de Bernard Kouchner était nourrie par une commune passion pour le journalisme — Kouchner avait été

160

rédacteur en chef de *L'Événement,* le journal d'Emmanuel d'Astier de la Vigerie — et par le partage de cette aventure qu'avait été la naissance de Médecins sans frontières.

Je ne savais pas tout cela au moment où j'entendis Borel lancer sa diatribe. Mais à voir son regard traqué, sa nervosité — il pliait et dépliait sans arrêt de petites lunettes articulées —, je percevais l'intensité électrique qui s'accumulait et allait s'abattre en foudre. J'ignorais encore qui serait la victime.

La péroraison de Borel fut longue et pénible. Il montait vers son but lentement, comme un vieux train à crémaillère, lâchait des soupirs bruyants, reprenait son souffle avec peine. Je compris vite ce qui rendait son effort si pénible. Il avait peur. Et tous ses complices, devant et derrière le bureau, avaient aussi peur que lui. Tous, sauf Lénine, qui se tenait un peu en arrière. Comme un officier prêt à tirer sur les récalcitrants et les mutins pendant les grandes offensives de l'hiver 1917, il braquait sur ceux qu'il avait chargés de l'attaque le double orifice menaçant de ses petits yeux noirs.

J'ignorais à peu près tout de la vie de l'association à l'époque. Il me fallut du temps pour comprendre ce dont il était question. C'était, en somme, assez simple. Kouchner avait lancé une nouvelle campagne. Comme d'habitude, elle était visionnaire et brillante dans son principe mais hâtive et un peu brouillonne dans son exécution. Homme d'émotion, de communication et de symbole, il lui importait surtout de frapper les esprits, de mettre l'opinion publique en mouvement. Ensuite, les initiatives fleuriraient et l'action s'organiserait spontanément.

161

Le sujet de sa nouvelle campagne était les boat people qui fuyaient le Vietnam. Ils faisaient naufrage en masse au milieu de la mer de Chine et sur ses côtes. Le moyen que Kouchner avait trouvé pour sensibiliser le monde à ce drame était simple, efficace et beau : affréter un bateau pour recueillir les naufragés. Ainsi fit-il l'acquisition d'un navire qui offrait la double opportunité de posséder un tonnage suffisant et un nom magique : *L'Île de Lumière*. Le projet n'était pas exempt de défauts : l'annonce du lancement d'un tel bateau pouvait encourager les malheureux à prendre la mer en plus grand nombre. Le devenir des réfugiés recueillis restait, faute de visas, problématique. Enfin, il existait d'autres initiatives moins bruyantes, menées par la Marine nationale, qui risquaient de pâtir de cette publicité. À cela, Kouchner répondait que l'essentiel était de mobiliser la communauté internationale dont les efforts restaient trop modestes, que les visas seraient accordés plus largement dès lors que cette mobilisation accroîtrait la pression exercée par les opinions publiques sur leurs gouvernements. Quant au facteur d'attraction de *L'Île de Lumière*, il le contestait en faisant valoir que les naufragés volontaires partaient déjà en masse avant que les secours s'organisent.

Je résume là un débat qui eut lieu ailleurs et pendant les nombreux mois que dura l'opération. Mais, en ce soir fatidique, où l'offensive fut menée par Raymond Borel, il n'était guère question de cela. Les griefs accumulés contre Kouchner étaient plutôt d'ordre protocolaire, des questions de boutique. On lui reprochait d'avoir engagé l'association dans un projet qu'il avait conçu seul. On lui reprochait aussi, sans craindre le paradoxe, d'avoir créé une organisation parallèle pour le mener à bien. Implicitement, on sentait chez Borel une déception professionnelle : l'appel « un bateau pour le Vietnam » avait été lancé par Kouchner dans... *Le Quotidien du Médecin,* journal dont *Tonus* était le concurrent. Ce reproche mesquin étant inavouable, il fallait mettre en avant autre chose : l'homme au faciès de contrebandier s'en était chargé, dans *Le Canard enchaîné,* en écrivant une tribune intitulée : « Un bateau pour Saint-Germain-des-Prés ». Il y fustigeait la dérive du mouvement vers le vedettariat — on dirait aujourd'hui, la peoplisation. Ce reproche était hautement démagogique. Les opposants à Kouchner jalousaient sa familiarité avec le monde de la presse et du spectacle mais ils n'avaient, au fond, qu'une envie, c'était de l'acquérir pour eux-mêmes. Coalition d'intérêts particuliers et d'aigreurs collectives, lutte pour le pouvoir, haine de la facilité apparente et du brio, les motifs du putsch étaient tout ce que je détestais. Mais faute de mesurer ces enjeux sur le moment, je me laissai entraîner, passivement d'abord, volontairement ensuite, du côté de ceux qui se préparaient à chasser l'homme auquel, pourtant, je devais ma présence ce soir-là dans cette salle...

Kouchner n'est pas un organisateur. Il manie le verbe avec aisance, mais, s'interdisant toujours les bassesses, les amalgames, les atteintes à l'honneur, il sait mal se défendre. Lénine et ses troupes avaient méthodiquement infiltré l'appareil de Médecins sans frontières ; ils contrôlaient toutes les instances, tenaient déjà en main les leviers de commande. Restait seulement à jeter par-dessus bord le fondateur, celui qui incarnait encore aux

163

yeux du monde l'organisation alors qu'il en était, dans les faits, éliminé.

La soirée dégénéra. Kouchner se défendit à sa manière : debout dans l'assistance, en ferraillant avec humour et mordant. C'est un homme de scène. Il a toujours rêvé d'être chanteur et lorsqu'il s'exprime, on sent qu'il prend plaisir à moduler sa voix, à faire vibrer les émotions de ceux qui l'écoutent, autant par la mélodie de ses paroles que par leur sens. Face à la mitraille anonyme des apparatchiks, ce combat avait quelque chose de sublime et de dérisoire. Tout un chœur d'amis et d'amies s'est élevé de l'assistance pour redoubler ses protestations et faire écho à sa tirade, comme dans une tragédie grecque. Mais la partie était perdue. Toujours debout, toujours déclamant, Kouchner, vaincu, écœuré, incrédule, se dirigea vers la sortie, franchit la porte. Il fit station longuement sur le petit palier à l'extérieur. Une de ses admiratrices en furie hurlait dans la salle, allait et venait du palier où elle s'efforçait de le faire revenir et couvrait d'invectives les conjurés livides.

J'hésitai sur le parti à prendre. Je me penchai vers l'ami qui m'avait entraîné dans cette galère et lui dis :

« On le suit ?

— Surtout ne bouge pas, je t'expliquerai. »

Que se serait-il passé si j'avais écouté ce soir-là mon inclination profonde, si j'avais rejoint Bernard Kouchner, si j'avais écouté l'idéal et la passion plutôt que la voix du plus fort ?

Mon destin, de toute manière, était de rejoindre un jour son camp. En m'en rendant compte tout de suite, j'aurais seulement évité de prendre part à une action méprisable. À certains, la capacité de résistance, de luci-

164

dité, d'indignation est donnée naturellement. D'autres, comme moi, doivent l'acquérir. Cet épisode montre à quel point mon aptitude à l'insoumission était encore faible et contrariée.

Le fait est qu'à minuit, Kouchner et ses amis partis, nous nous retrouvâmes seuls dans une salle clairsemée. Borel s'effondra comme un pantin désarticulé, les autres assaillants avaient le visage d'Œdipe après son parricide. Lénine prit alors la parole avec une énergie froide et invita à poursuivre l'ordre du jour. L'organisation venait de changer de mains. Et moi qui y entrais, ignorant encore si de telles crises étaient coutumières ou exceptionnelles, je fis allégeance avec confiance aux nouveaux maîtres.

15

Médecins sans frontières, sans Kouchner et ses amis, avait perdu une grande partie de son âme. Mais elle y avait gagné une rigueur, un sérieux, un activisme qui allait en faire une organisation majeure. Il faut rendre cette justice aux nouveaux dirigeants de l'association que leur soif bien réelle de pouvoir s'accompagnait d'une grande ambition pour la structure qu'ils venaient de conquérir.

En quelques mois, plusieurs nouvelles missions ont été lancées ; celles qui existaient ont reçu des moyens supplémentaires, propres à les faire croître rapidement. Le contexte international de ces années soixante-dix finissantes était particulièrement favorable à l'action d'une organisation humanitaire privée et indépendante. Une multitude de conflits d'ampleur réduite apparurent dans le tiers-monde : en Angola et au Mozambique, après la décolonisation portugaise ; au Cambodge « libéré » des Khmers rouges par les Vietnamiens ; en Afghanistan à la suite de l'invasion soviétique ; au Nicaragua, à cause de l'arrivée au pouvoir des sandinistes proches de Cuba, etc.

Il n'est pas un seul de ces terrains sur lequel Médecins sans frontières, dans sa version nouvelle, n'a pas installé une mission. Dans ces petites guerres, les populations souffraient beaucoup, elles étaient même les cibles principales. Des réfugiés fuyaient vers les pays voisins par dizaines de milliers et s'entassaient dans des camps. Aider ces camps était un des savoir-faire d'une ONG comme MSF, acquis notamment auprès des réfugiés indochinois. Cependant la vraie spécificité d'une organisation indépendante, les nouveaux dirigeants le comprennent vite, c'est surtout de pouvoir mener des actions clandestines sur les lieux mêmes de la guerre.

Entrer dans les maquis afghans jusqu'au cœur du pays occupé, franchir la frontière éthiopienne avec les rebelles érythréens, installer des hôpitaux en Angola dans la zone contrôlée par la guérilla de Jonas Savimbi, qui d'autre le pouvait ? Ces conflits « périphériques » étaient tous des micro-guerres froides : intérêts occidentaux d'un côté contre pouvoir marxiste de l'autre. Quiconque, militaire, diplomate, fonctionnaire international, aurait pris la liberté d'entrer dans ces zones en guerre et de violer la souveraineté d'États liés de près ou de loin au bloc soviétique, aurait provoqué une crise internationale majeure, aux conséquences incalculables. Seuls pouvaient s'y risquer de simples particuliers comme nous, groupés en association et qui se proclamaient « sans frontières » avec la même gouaille anarchisante que ceux qui ne se reconnaissent « ni dieu ni maître ».

J'arrivais au moment où s'ouvraient ces passionnants chantiers et je trouvais immédiatement à m'y employer. C'était d'ailleurs avec l'intuition qu'il faudrait bientôt beaucoup d'hommes nouveaux dans l'association que

Lénine, avant même d'être venu à bout de Kouchner, avait recommandé à mon ami de me faire venir.

La première mission qui me fut confiée n'était pas glorieuse. Elle avait pour but de tester ma loyauté et d'évaluer ma débrouillardise. On m'envoya à New York pour m'opposer à la création d'une branche de Médecins sans frontières aux États-Unis. Les nouveaux dirigeants de MSF craignaient que la bande Kouchner, mise en minorité à Paris, ne fasse un retour via la structure qui était en train d'être fondée en Amérique par un de ses proches.

Mes doutes premiers, lors de la réunion de rupture, avaient été balayés par les arguments acérés de Lénine. Il avait pris le temps de m'expliquer longuement en quoi Kouchner était nuisible à l'association, pour quelles raisons il avait fallu l'en écarter et combien il était important de l'empêcher d'y revenir. Je m'étais d'autant plus facilement laissé convaincre que la dialectique de Lénine était extrêmement efficace. Vrai meneur d'hommes, rigoureux, subtil, il mettait toute sa psychologie non pas à créer une connivence avec l'interlocuteur mais à déceler les faiblesses par lesquelles il pouvait faire pénétrer en lui ses idées et se rendre maître de sa volonté.

Je partis donc pour New York. La situation à l'hôpital était plus favorable à mes déplacements. J'avais changé de service et mon nouveau patron se montrait conciliant. Surtout à cause de la crise du « bateau pour le Vietnam » et des multiples apparitions médiatiques auxquelles donnaient lieu les missions nouvelles, l'association avait acquis une plus grande notoriété. Elle n'était pas comparable à celle d'aujourd'hui, mais elle n'était plus négligeable.

Je n'étais jamais allé aux États-Unis. New York à l'époque avait la réputation justifiée d'être un coupe-gorge (l'assassinat récent de John Lennon en était un des stigmates). Sans doute devais-je paraître particulièrement désemparé car une jeune fille rousse, à l'aéroport Kennedy, me prit en affection ou en pitié et proposa de me servir de guide. C'était une Américaine qui revenait de France où elle avait travaillé à sa thèse de littérature. Son sujet était « Le mauve chez Proust », thème qui me parut passionnant tant il était éloigné des aridités médicales auxquelles j'avais été jusque-là condamné. Le voyage, on le sait, lève souvent les inhibitions et conduit à des hardiesses que l'on n'aurait pas eues chez soi. Je trouvais dans mon angoisse l'énergie propre à vaincre ma timidité. Dans le taxi, nous nous embrassions. Arrivés chez elle, nous courûmes jusqu'à sa chambre. J'eus la surprise de découvrir que la jeune excentrique n'avait pas de lit et dormait sur une peau de mouton posée à même le sol. C'est à de tels détails que l'on mesure le temps qui passe. Je ne serais sans doute plus capable aujourd'hui de vaincre ma répulsion pour une toison crasseuse ni de supporter tous les désagréments qu'on imagine et qui tiennent à la présence indiscrète des poils de la bête là même où l'on souhaiterait le plus les oublier. À l'époque pourtant, je sus m'abstraire de ces contrariétés et goûtai à des charmes qui mêlaient des odeurs musquées de rousse aux remugles de la fourrure.

Pourvu qu'on la fît parler d'autre chose que du mauve chez Proust, mon amie se révélait réservée, efficace et intéressante. Elle m'enseigna les règles élémentaires qui permettaient de survivre dans le New York d'alors. Nous allâmes visiter plusieurs de ses amis, enfermés à double tour dans des appartements-forteresses. Enfin, le jour venu, elle m'accompagna à l'assemblée générale fondatrice de Médecins sans frontières États-Unis.

La réunion se tenait dans un amphithéâtre. Je me plaçai prudemment en haut, près de la sortie. Le fondateur de l'association passa quelques diapositives qui provenaient des missions de MSF France, présenta brièvement les principes du mouvement, fit applaudir les inévitables avocats qui garnissaient le premier rang. Enfin, très solennellement, il déclara fondée, en ce lieu et en ce jour, l'association Médecins sans frontières États-Unis. Les Américains s'y entendent pour donner à un moment collectif un caractère historique. Une fois de plus, c'était réussi. Les assistants, saisis par l'émotion, retenaient une larme. Après un silence recueilli, une ovation monta de l'amphithéâtre. Je m'étais laissé aller moi-même à la magie du moment. Je fus d'autant plus affolé quand il me revint en mémoire les raisons de ma présence. Cet affolement atteignit son paroxysme lorsque je vis un homme au beau visage ridé que je ne connaissais pas descendre l'amphithéâtre, à l'invitation du fondateur. Il l'avait présenté comme « l'envoyé de Médecins sans frontières-Paris ». Sitôt monté à la tribune, l'homme félicita son hôte et déclara qu'il apportait le soutien total de Médecins sans frontières à cette initiative. Il cita plusieurs fois Bernard Kouchner et je compris qu'il s'agissait d'un de ses amis, ceux-là mêmes qui avaient été mis en minorité devant moi le fameux soir. Quand l'émissaire termina son discours, sous les vivats, le fondateur demanda si quelqu'un avait des questions ou des remarques. Je levai un doigt tremblant. Après avoir une dernière fois pressé la cuisse de ma compagne, je descendis un à un les degrés de l'amphithéâtre avec l'immense nostalgie d'un gladiateur qui s'apprête à mourir au printemps. Installé à la tribune par le fondateur tout sourire — il ne savait pas ce qui l'attendait — je dépliai une petite feuille et lus — en français pour gagner du temps et aussi une chance de m'échapper — le texte préparé par Lénine.

« Cette assemblée est illégale. Médecins sans frontières France, propriétaire de la marque dans le monde entier, s'oppose à son utilisation par les personnes présentes à cette réunion. Nous poursuivrons partout, avec les moyens juridiques appropriés, ceux qui s'aviseraient d'utiliser notre sigle sans y être autorisés... », etc.

Je terminai dans un silence de mort. Comme je l'avais prévu, la traduction mit un certain temps à se répandre de bouche à oreille dans l'assistance. Seul l'ami de Kouchner avait compris tout de suite. Il me coupa la retraite au moment où j'allais m'éclipser. La plus grande confusion régnait sur la scène. Le fondateur me rattrapa et me saisit au collet. Je cherchai mon amie des yeux dans l'assistance. J'aurais donné n'importe quoi pour être tranquillement allongé sur sa peau de bête, à l'entendre me parler de M. de Charlus en gros bourdon mauve car, on l'avait compris, le mauve chez Proust est une métaphore sexuelle particulière... Mais j'étais tiré de tous côtés, secoué, houspillé. On allait sans doute me gifler, me lyncher. Ce fut, et de loin, ma mission la plus dangereuse. Par bonheur, le pugilat gagna l'assistance elle-même. Pour des raisons inconnues, l'annonce dont j'avais été le porteur avait déchaîné des querelles internes qui prirent rapidement le pas sur la vengeance qu'il aurait été trop facile d'exercer sur un pauvre exécutant de mon espèce. L'amphithéâtre fut bientôt tout entier livré aux vociférations de groupes antagonistes. Ma rousse passionnée par le mauve sortit providentiellement de la foule et m'entraîna par la main vers une sortie de secours. Nous hélâmes un taxi dans la rue. J'étais sauvé.

Médecins sans frontières États-Unis est mort, comme prévu, ce jour-là. L'association devait être refondée plusieurs années après par Médecins sans frontières France dans des conditions de contrôle étroit — qui font aujourd'hui de MSF États-Unis l'un des principaux bailleurs de fonds de MSF France.

Cet épisode sans gloire eut plusieurs mérites pour moi. D'abord, il coupa les ponts pour longtemps avec Kouchner et ses proches. Si j'avais pu hésiter sur le camp à choisir au moment de la rupture, il était clair que désormais j'appartenais à l'un d'entre eux et que j'étais identifié par l'autre comme un adversaire. Pour la première fois de ma vie, je comprenais intérieurement ce que signifiait un engagement. Du même coup, la réussite de cette mission délicate m'ouvrait de grands horizons dans la nouvelle direction. J'étais devenu un homme de confiance. Ce mot n'avait pas pour Lénine le sens d'un abandon complet : on continuerait à m'avoir à l'œil. Mais on n'hésiterait pas à me confier des missions de responsabilité. Ma loyauté était d'autant plus certaine que j'avais commis cette transgression. Ainsi fonctionnent les gangs : ils poussent leurs membres à commettre un premier crime moins pour le profit qu'ils en retirent que pour leur ôter toute possibilité de survivre en dehors du groupe et donc de le trahir.

Mais le plus grand mérite de cette mission sans gloire fut de m'ouvrir les yeux sur la véritable nature de l'action humanitaire. J'étais venu avec mon idéal, un peu flottant, un peu naïf. Voilà qu'à l'épreuve de l'action, je découvrais tout autre chose : une guerre de clans, un domaine hautement politique, les jeux d'intérêts et de pouvoir. Mieux valait le savoir tout de suite. Comme l'enfer de Dante, ce monde affichait la couleur dès l'entrée : « Toi qui entres ici, abandonne toute espérance. » J'aurais pu en être effarouché. Tout au contraire, ma fascination redoubla. Je ne me suis pas lancé dans cette activité pour y défendre mes intérêts — je n'en avais aucun — ni acquérir du pouvoir — c'est un fardeau que je n'ai jamais recherché. J'y suis entré parce que l'engagement humanitaire que je découvrais révélait qu'il n'était pas hors du monde, comme l'hôpital. Il était plutôt au cœur du monde, de ses luttes, de sa violence. La politique était à la fois son sujet, à travers les guerres où il intervenait, et son quotidien, dans les affrontements de personnes, de courants, de tendances qui le traversaient.

Le champ qui s'ouvrait à moi était inconnu, mon ignorance politique quasi totale. J'avais tout à apprendre, tout à comprendre, tout à vivre et cela sans renier mon idéal. Car la raison d'être de ces organisations et de leurs luttes internes était d'abord de porter secours aux faibles, aux oubliés, à l'Autre.

Dès lors, je ne calculai rien et entrai, sans réserve, dans l'action.

16

Les années qui suivirent furent les plus fécondes de ma vie. Non que j'y eusse élaboré quoi que ce fût : je n'écrivais pas encore. À les considérer de l'extérieur, ce furent même plutôt des années d'échec et d'errance. Mais toutes les idées, toutes les opinions, toutes les curiosités qui devaient constituer la base de mon existence à venir se sont cristallisées à ce moment-là.

Fort de mon succès à New York, j'obtins d'autres missions, plus conformes à ce que j'avais imaginé être un engagement humanitaire. La première fut en Érythrée. J'y allai en compagnie du camarade qui m'avait remplacé à Djibouti.

Au moment du choix des stages d'internat, j'avais volontairement pris un poste « planqué » dans un service de neuroradiologie. Je m'y composai un rôle muet, faisant des apparitions si courtes que mon patron finit par m'oublier. Je commençais d'ailleurs à avoir les idées claires sur la carrière hospitalière. J'avais compris le grand secret que l'on nous cachait soigneusement : ma génération n'avait pas d'avenir à l'Assistance publique. Hormis les fils et filles de patrons, comme mon ex-compagne, personne ne pouvait espérer passer le barrage de l'agrégation et devenir professeur. Les patrons nous faisaient miroiter des lendemains radieux. Ils exigeaient de nous un esclavage complet, des horaires fous, un travail de brute pour rédiger leurs propres articles. Mais en échange du sacrifice de notre jeunesse, ils payaient en monnaie de singe des bonnes paroles et du faux espoir. Je n'avais rien à attendre d'eux ; ils n'auraient rien à attendre de moi. Je décidai de vivre et de vivre tout de suite.

Nous partîmes pour le Soudan. C'était alors un pays calme, sûr, accueillant pour les étrangers, ce que l'on a peine à imaginer aujourd'hui. Un autobus nous emmena vers l'est, jusqu'à Gedaref, à travers un désert morne où régnait une chaleur inconcevable. Arrivés à destination, nous fûmes abordés par deux Érythréens qui nous conduisirent dans une maison discrète. Le bruit de la ruelle, de l'autre côté du mur, les parties de cartes dans la cour, sous une treille, des siestes abruties de chaleur, tout cela s'imprégna profondément en moi. Dans l'humanitaire, la plupart de ceux qui partent en mission ont un seul grand amour qui est en général le premier. J'ai connu des passionnés de l'Afghanistan, des amoureux du Cambodge, des inconditionnels de la grande forêt africaine. Où qu'on les envoie par la suite, ils rêvent à leur paradis perdu. Je me souviens d'avoir rencontré à Lusaka, où elle était en mission, une infirmière qui, le soir, fermait les stores de sa maison, oubliait la Zambie, les Noirs, les réfugiés congolais, pour enfiler sa tenue de guerrier pachtoune et boire son thé sur un tapi. Elle rêvait en soupirant aux montagnes afghanes où, comme elle le disait, « un chef de guerre l'avait traitée comme son frère »...

À moi, le sort avait réservé l'Afrique de l'Est. Le trajet de Khartoum à l'Éthiopie constituait comme une coupe géologique à travers les territoires de mes rêves futurs. Première découverte, première passion, éternel amour, j'héritais de ces lieux par un de ces hasards providentiels qui ont toujours décidé de ma vie. Bien plus tard, quand j'en serais loin, dans un Paris d'hiver froid et gris, je voyagerais encore vers ces contrées, avec mes rêves et mes souvenirs pour seul véhicule. Je referais le chemin à travers le Soudan jusqu'aux hautes terres d'Éthiopie. Et j'entendrais encore le frôlement des gamins errants de l'autre côté du mur de la maison de Gedaref. Ce sera la matière de mon premier roman, *L'Abyssin*...

Un camion vint nous chercher de nuit pour nous emmener, tous phares éteints, à travers des chemins défoncés jusqu'en Éthiopie. Nous découvrions les zones insoumises d'Érythrée, là où régnait une guérilla omniprésente. Dans la journée, les maquisards nous cachaient sous les palmiers. L'aviation éthiopienne patrouillait au-dessus des low-lands : il fallait éteindre tous les feux, ramasser le moindre papier brillant, rester à couvert dans la chaleur moite. Le soir, tout s'animait. La vie décalée du maquis commençait à cinq heures, à la tombée de la nuit. Nous visitâmes ainsi toute la zone libérée, allant même, à son extrême pointe, jusqu'à observer les troupes éthiopiennes à la jumelle.

Le Front de Libération disposait d'un hôpital de campagne, pour lequel il souhaitait obtenir notre aide. Il consistait en deux longues huttes qui pouvaient accueillir en tout une centaine de patients. La plupart étaient des blessés de guerre. Les traitements se faisaient avec des moyens de fortune. L'odeur des corps suants et des plaies infectées était insoutenable car l'air chaud et lourd circulait mal à travers les claires-voies de palmes. Après cette visite, nous conférâmes avec le ministre de la Santé. Il vivait sous une paillote où régnait une chaleur d'étuve. Pour nous recevoir dans ce ministère provisoire, il avait revêtu son grand uniforme, boutonné jusqu'en haut, et suait à grosses gouttes. Ces guérilleros sont aujourd'hui au pouvoir. Ils reçoivent désormais dans de vrais ministères climatisés. Les avoir vus dans leurs paillotes est pour moi le stigmate du temps qui passe, de la roue de l'Histoire qui tourne, un redoutable privilège de l'âge... À l'époque, je n'imaginais pas, et eux non plus, peut-être, qu'ils sortiraient un jour de leurs jungles. J'étais partagé entre une sincère admiration pour leur courage et l'envie de rire de cette mise en scène d'opérette tropicale.

Mais il ne s'agissait pas de rire. Nous étions là pour prendre des décisions. Que pouvions-nous faire pour les aider ? Quels étaient leurs besoins ? Quelles conditions de sécurité pouvaient-ils garantir aux médecins que nous leur enverrions ? Telles étaient les questions techniques. Surtout, derrière, surgissaient des questions politiques. Le Front de Libération de l'Érythrée qui nous accueillait était le mouvement de guérilla le plus ancien de la région. Toutefois, depuis deux ans, il avait un concurrent, le Front *populaire* de Libération de l'Érythrée, d'obédience marxiste (le FLÉ l'était aussi...), soutenu par la Chine et l'Albanie, disposant de moyens plus importants. Kouchner, avant de quitter MSF, s'était rendu en Érythrée et avait décidé d'apporter son soutien à ce nouveau mouvement. En nous envoyant auprès du FLÉ, Lénine savait ce qu'il faisait. C'était un moyen de désavouer Bernard Kouchner, de montrer qu'il avait abandonné le FLÉ malgré l'aide médicale dont il avait besoin. La lutte entre mouvements de libération rivaux au fond des maquis africains recoupait ainsi la rivalité entre anciens et nouveaux patrons de MSF en plein Paris. Somme toute, il n'y avait, comme je l'avais pressenti, aucune différence entre le combat pour le pouvoir ici et là-bas. Tout était politique.

Cette conviction prit cependant pour moi sur le terrain érythréen une valeur plus positive. Je compris là-bas que la victime n'est jamais seule. Contrairement à ce que la plupart des donateurs imaginent, il n'y a pas une planète des victimes, une terre où les innocents et les faibles seraient accessibles sans obstacle à notre bienveillance. Partout, les victimes, les malheureux, les laissés-pour-compte sont cachés, difficiles à atteindre. Partout, des forces politiques font écran entre eux et ceux qui viennent leur porter secours. Que ce soit des gouvernements, des mouvements de guérillas, des chefs de clan, des syndicalistes, les victimes sont toujours « représentées » par quelqu'un. Elles sont immergées dans le jeu politique, les rapports de force. Et la « représentation », hélas, est bien souvent une usurpation. De cette première mission, je tirai la conviction que la neutralité ne peut être que le résultat d'une démarche politique active. Pour arriver jusqu'à ceux qui ont besoin d'aide, il faut d'abord comprendre où ils se trouvent, qui les opprime, qui les représente et pour servir quels intérêts. Alors seulement, on est en mesure de déjouer les pièges qui sont tendus à ceux qui apportent l'aide. Alors seulement, on peut espérer avoir accès à ceux qui ont *vraiment* besoin de nous. Voilà pourquoi l'étude du marigot politique érythréen ne me découragea pas plus que le spectacle des divisions de chefs au sein de notre organisation. C'était la vie, la vraie. Le prix à payer, pour pouvoir être utile dans ces terres habitées, était d'ouvrir les yeux, d'observer sans dégoût et de comprendre sans condamner.

À peine rentré d'Érythrée, je repartis pour l'Amérique centrale. La révolution sandiniste était venue à bout du dictateur Somoza. Médecins sans frontières avait été présent pendant toute la phase critique : montée des colonnes rebelles vers la capitale, effondrement du régime, prise du pouvoir par une junte bigarrée qui allait de la bourgeoisie d'affaires aux survivants du vieux foyer castriste des années soixante. Mais, rivalités internes toujours, il se trouvait que le médecin responsable de cette mission et qui était rentré auréolé de lauriers n'avait pas l'heur de plaire à la nouvelle direction de l'association. Toujours obsédés par le contrôle de l'appareil, les maîtres efficaces et ternes qui avaient chassé Kouchner voyaient d'un très mauvais œil toute nouvelle manifestation de charisme et de brio. Le triomphateur du Nicaragua pouvait être dangereux, comme ces généraux romains trop puissants qui faisaient à leur retour trembler la république et qu'il fallait exiler. Je fus donc envoyé au Nicaragua pour prendre le relais, avec la consigne de poursuivre la mission mais aussi — surtout — de rapporter des preuves de légèreté, d'amateurisme, de négligence propres à discréditer l'éventuel concurrent lors de la prochaine assemblée générale. On s'étonnera peut-être que j'aie accepté aisément de pêcher dans des eaux si troubles et l'on en conclura que j'étais devenu moi-même semblable aux cyniques et aux calculateurs. Je ne réclame aucune indulgence particulière, mais j'indique tout de même que c'est faux. En réalité, je conservais intact mon idéalisme. J'étais seulement devenu un patriote de l'organisation que je servais. Elle m'avait tant apporté que je la parais de toutes les vertus et concevais pour elle de grandes inquiétudes. Il était facile de me persuader que tel ou tel, par son ambition personnelle, pouvait ruiner l'élan fragile que nous avions donné à notre cause. J'étais sincèrement convaincu d'agir pour le bien commun. C'était encore une expérience enrichissante puisqu'elle me faisait éprouver de l'intérieur ce qu'avait pu ressentir un garde rouge chinois ou un procureur de la Révolution française.

Ainsi arrivai-je à Managua, envoyé au motif que je parlais... l'italien. L'époque était aux décisions rapides et l'on ne s'arrêtait pas à de tels détails.

Ce fut un voyage brouillon et stérile d'où nous tirâmes une première règle d'action : il est inconcevable pour une organisation européenne d'opérer aussi loin dans l'urgence sans disposer de bases logistiques régionales. Atteindre le Nicaragua était, pour les passagers, une expédition et pour le fret une épreuve impossible. Nous découvrîmes à Panamá, devant des hangars saturés, des milliers de caisses contenant des secours, jetées pêle-mêle lors du débarquement des avions. Les étiquettes étaient rédigées dans des encres solubles à l'eau. Or, c'était la saison des pluies. La trace des destinataires disparaissait en longues traînées noirâtres.

Heureusement, à rebours de ce que l'on pouvait lire dans les journaux, le Nicaragua ne manquait pas de grand-chose. La rébellion avait triomphé presque sans combats. Le dictateur était parti de lui-même. Il n'y avait que peu de blessés. Les représentants de toutes les ONG du monde parcouraient les hôpitaux à la recherche de victimes. Mais, malgré toute leur bonne volonté, les équipes soignantes locales étaient bien incapables de dénicher de vrais blessés de guerre. Deux ou trois fractures furent déclarées propres à cet emploi et exhibées sans vergogne devant plusieurs équipes auxquelles elles servirent à justifier la mise en place d'une mission. Je rendis compte à Paris de cette situation. Ces constatations satisfirent ceux qui m'avaient envoyé. Elles étaient de nature à rabattre le caquet du concurrent redouté car elles ramenaient l'affaire nicaraguayenne à l'échelle d'un événement politique sans conséquence.

Nous mîmes en place une mission réduite. Elle consistait en l'envoi de deux kinésithérapeutes qui aidèrent pendant quelques semaines un centre de physiothérapie à Managua. C'était le service minimum et cela soulignait assez que le Nicaragua n'était pas une urgence majeure.

Ma (brève) mission accomplie, j'en profitai pour rester un peu dans le pays et observer le jeu politique complexe de la période postrévolutionnaire. La dictature était abattue, mais personne n'avait encore le pouvoir en main. Le temps paraissait suspendu et, pour meubler ce moment d'incertitude et d'angoisse, les Latino-Américains avaient, comme toujours, choisi de faire la fête. Des guérilleros tout jeunes et souvent de recrutement récent sillonnaient la ville dans des voitures confisquées aux « somozistes ». On voyait ainsi de luxueuses limousines américaines conduites par des gamins hilares. Autoproclamés « combattants » et habillés en kaki, ils brandissaient par les portières de grands drapeaux rouges. Pour éviter les confiscations, les Nicaraguayens riches proposaient aux étrangers, en particulier aux représentants des ONG, de leur confier voitures et maisons. Elles acquéraient de la sorte un statut international et avaient une petite chance d'être épargnées. C'est ainsi que je me retrouvai dans une villa ultramoderne au sol couvert de moquettes épaisses, prêtée gracieusement par ses propriétaires : ils avaient jugé plus prudent de prendre un peu l'air en Floride. Pour me déplacer, j'utilisais leur Spitfire décapotable blanche. Outre le plaisir que j'avais de sillonner les collines de Managua dans cet équipage, je sentais la satisfaction d'avoir au moins fait quelque chose d'utile pendant ce voyage. À défaut de sauver des vies humaines, j'avais préservé une voiture exceptionnelle d'un triste destin. Chaque soir, je passais la miraculée au jet d'eau comme j'aurais fait la toilette d'un malade.

Le Nicaragua se révéla pour moi un terrain d'observation précieux. Un jeu complexe entourait l'aide internationale qui affluait dans le pays. Chaque faction politique tentait de prendre le contrôle de l'énorme flux de nourriture venu de l'étranger. Les groupes modérés souhaitaient que cette aide inonde tout le territoire sans délai et sans condition afin que, gavé, le peuple arrête sa révolution. Au contraire, pour les pro-castristes, il importait que l'aide soit contrôlée étroitement par l'appareil qu'ils mettaient en place pour quadriller le pays. Pour obtenir une part des secours que le monde entier envoyait, les citoyens devraient se faire enregistrer, assister aux réunions des comités de quartiers et y entendre la bonne parole révolutionnaire. Ainsi, les radicaux espéraient-ils préparer l'approfondissement de la révolution, la liquidation de l'aile bourgeoise et l'avènement d'une république marxiste. Ces réflexions théoriques sur l'aide humanitaire allaient constituer la matière de mes premiers livres.

Mais plus profondément encore, le contact avec l'Amérique centrale me remplit d'images fortes et belles qui nourriraient, bien plus tard, les descriptions de mes romans. La poésie des noms — Maracaibo, Bluefield —, la force des paysages — les volcans du Nicaragua, la ville de Managua désertée en son centre à la suite d'un tremblement de terre, Panamá et son canal, l'embouchure des grands fleuves sur la côte vénézuélienne —, la singularité des rencontres — ces botanistes perdus dans la forêt du Costa Rica, la visite du bunker de l'ancien dictateur où traînaient encore ses objets, en particulier les petits drapeaux qu'il épinglait sur une carte, le peuple drôle et charmant des villages, les tortues géantes du Pacifique qui venaient pondre, la nuit, sur les plages —, tout cela tombait sur le terreau fertile de mon imagination et commençait en silence d'y croître et de fleurir.

De retour en France, la passion se prolongea. Le bureau de Médecins sans frontières était devenu une ruche. Chaque réunion du conseil d'administration était l'occasion de convoquer toutes les convulsions du monde. Nous n'avions pas besoin de lire les journaux. Les nouvelles nous parvenaient des coins les plus reculés de la planète par l'entremise de nos missions. Retour d'Afghanistan, retour du Cambodge ou, comme moi, retour du Nicaragua, les *missi dominici* de notre petit empire rendaient compte de leur expérience directe. Nous étions au cœur du temps présent, témoins du monde entier, rêvant de devenir des acteurs et faisant croire que nous l'étions déjà.

En réalité, à ces époques premières, nos forces étaient encore très limitées et l'efficacité de notre action très modeste. Nous faisions de gros efforts pour développer l'outil et, en peu d'années, nous sommes parvenus à créer une machine véritablement utile dont les effets sont aujourd'hui mesurables. Mais à ce moment-là, nous en étions loin. Un grand écart existait entre notre notoriété médiatique déjà considérable et notre inexistence opérationnelle. Nous nous comparions à la Croix-Rouge, mais nous étions bien loin d'en avoir l'expérience et, surtout, les moyens.

Cette *hybris* a fini par troubler notre vision et précipiter une autre crise. Les nouveaux dirigeants de la maison, grisés par une puissance qui était pourtant fragile, décidèrent de frapper un grand coup. Ils montèrent une opération médiatique spectaculaire à la frontière du Cambodge pour exiger des occupants vietnamiens qu'ils ouvrent cette frontière. La « Marche pour la survie du Cambodge » fut mise sur pied. L'aurait-elle été par MSF seul, on aurait déjà pu la contester. Mais elle le fut en collaboration avec des groupes américains conservateurs, proches de l'université de Georgetown. Une pléiade d'artistes furent enrôlés dans l'affaire. Et personne n'écouta l'avis des volontaires présents sur le terrain. Beaucoup s'inquiétaient de voir une telle initiative, bruyante et éphémère, durcir le contrôle exercé par les Vietnamiens à la frontière. Car, dans les faits, le passage de l'aide était possible par de discrets convois de « fourmis ». Il était à craindre que ces infiltrations humanitaires ne soient plus tolérées à la suite de la Marche et qu'ainsi la mobilisation aboutisse à l'effet contraire à celui qu'elle affichait. On en était revenu aux méthodes que l'on avait reprochées à Kouchner, en plus cyniques et en plus contestables. Avec l'ami qui m'avait amené à MSF, nous nous fîmes les gardiens du temple et protestâmes publiquement contre cette action superficielle, trompeuse et, sans doute, manipulée.

Les dirigeants de l'association ne virent dans notre démarche (un article à charge dans *Libération*) qu'une rivalité de pouvoir. Ils étaient incapables d'imaginer une indignation gratuite. La nôtre l'était pourtant. Elle se teintait également de dépit car nous avions senti — moi en particulier — qu'à force d'enchaîner avec succès des missions de confiance, nous avions fini par entrer dans la catégorie des rivaux dangereux. Depuis quelques semaines, je me sentais marginalisé. Un nouveau venu, qui avait travaillé comme volontaire en Thaïlande, avait intégré l'équipe et recueillait les faveurs de la direction. Ancien mao, ombrageux, habité par une violence intérieure mal maîtrisée, ce personnage inquiétant montrait à l'égard de Lénine reconnaissance et fidélité mais d'une nature différente de la mienne, plus politique, plus mature, moins niaise en somme. C'était lui qui avait servi de cheville ouvrière dans l'affaire de la Marche et je me sentais meurtri par cette défaveur. Cette frustration, jointe à un désaccord sincère quant à cette initiative, me fit franchir la ligne rouge. Je m'opposai au « Parti ». Et je le fis sans préméditation ni projet. Ce simple sursaut moral n'était au service d'aucune ambition. C'était très difficile à imaginer pour les animaux politiques qui nous dirigeaient. De surcroît, mon attitude physique a toujours laissé croire que j'étais un ambitieux, alors que peu de gens sont aussi incapables que moi d'agir pour acquérir du pouvoir et de prendre des décisions conformes à leurs intérêts.

Quoi qu'il en soit, le verdict fut immédiat et sans appel : exclusion, anathème, bannissement. Après Kouchner, je me retrouvais à mon tour dehors. Mais je n'avais contrairement à lui aucun réseau, aucune alternative. Je revins à l'internat avec un peu plus de frustrations et beaucoup de souvenirs intenses dans la tête. Comme l'Augustin du *Grand Meaulnes*, le roman qui a traversé toute mon enfance en Sologne, j'avais entrevu un domaine enchanté, mais je m'étais égaré en chemin. J'allais passionnément et en vain chercher à y retourner.

17

Je n'ai jamais retrouvé l'ivresse émerveillée que
m'avaient procurée mes premières missions. Je suis
revenu à l'humanitaire, pourtant. En quittant MSF, j'ai
multiplié les expériences, approché d'autres organisations, tenté d'appréhender ce domaine en profondeur.
Mais cette connaissance, cette lucidité ont jeté sur cette
activité une lumière crue qui, en faisant ressortir les
détails, a éliminé le flou qui avait rendu ma première
perception idéale et magique.

Je suis devenu désormais ce qu'il est convenu
d'appeler un spécialiste de l'humanitaire. Je continue
d'aimer ce domaine d'action et d'y prendre part. Mais
cette connaissance rationnelle s'est faite aux dépens de
la foi qui m'avait habité à mes débuts. Peut-être est-ce
d'ailleurs mieux ainsi. J'ai gagné en lucidité ce que j'ai
perdu en idéalisme. Et si je rêve moins moi-même, c'est
sans doute parce que j'ai porté à un haut degré la capacité de faire, sur ce sujet, rêver les autres.

Mon premier souci, en quittant MSF, a été de mettre
de l'ordre dans mes idées. J'avais, en peu de temps,
accumulé tant d'expériences nouvelles... Mon manque

de culture politique m'apparaissait clairement. L'étendue de cette ignorance m'était désormais insupportable. Comment y remédier ? Il n'était pas question pour moi de devenir un militant. La politique, depuis la rue des Saussaies et surtout grâce à MSF, m'était apparue sous les aspects graves et sérieux des relations internationales. Il m'aurait semblé déchoir si j'étais revenu à des questions triviales de politique intérieure. En outre, avoir approché la réalité du sous-développement m'empêchait de prendre tout à fait au tragique (à tort sans doute) les malheurs très relatifs de nos concitoyens des pays riches. Comment approfondir mes connaissances, en sachant qu'il me fallait pratiquement tout acquérir à compter de zéro ?

Plusieurs de mes amis étudiaient à Sciences-Po. Je me renseignai auprès d'eux sur ces études, feuilletai leurs livres et leurs notes. Finalement, je décidai de me présenter au concours. On me reçut avec empressement rue Saint-Guillaume et cela me donna l'occasion de mesurer le malaise que peut susciter la discrimination positive. Car il était évident que mes performances écrites et orales étaient lamentables. On m'accueillait en vertu d'un quota implicite : celui qui, chaque année, réservait des places à quelques personnes venues de la vie active : architectes, pompiers, séminaristes, que sais-je ? Peu de médecins s'étaient encore aventurés à pousser cette porte. Je fus reçu.

Malgré tout le respect que j'ai pour cette école, je ne suis jamais parvenu à la prendre tout à fait au sérieux. Par rapport au travail de forçat qu'avait exigé de moi la médecine, il me semblait que Sciences-Po offrait une agréable villégiature. Je butinais. Après avoir fréquenté un domaine — la médecine — où l'on vivait des expériences personnelles et fortes sans en parler, j'en découvrais un autre, celui de la « science » politique, où l'on discourait avec brio de réalités générales et collectives que l'on n'avait pas vécues. Cela me donna à penser qu'une troisième voie, peut-être, était à explorer : tenter de discourir de choses vécues, en somme, faire la théorie d'une pratique. L'humanitaire me semblait précisément le domaine où cette réflexion était indispensable. Mais je n'avais pas encore les idées très claires sur le sujet. En attendant, il me fallait faire vivre une famille et je fus repris par la nécessité de gagner ma vie.

En sortant de Sciences-Po, on me proposa de diriger un journal médical. C'était un hebdomadaire qui appartenait à un groupe international d'origine américaine. Son fondateur, un médecin, avait bâti un empire de presse. Il n'était plus guère préoccupé que de sa postérité. Afin d'atteindre l'immortalité à laquelle une grande fortune donne droit outre-Atlantique, il avait fait don d'une aile au Metropolitan Museum et l'avait bourrée d'articles trouvés dans le commerce, quoiqu'il s'obstinât à leur donner le nom usurpé d'œuvres d'art.

Les éditions internationales de son groupe étaient à peu près indépendantes. Une équipe de publicitaires venait de poser ses redoutables griffes sur l'édition française, afin de la réformer — traduisez : de la rendre rentable. Ces consultants se sont adressés à moi non pas en tant que personne — comment l'auraient-ils pu, je n'avais encore rien fait — mais par intérêt pour mon « profil ». Il semble que ce terme soit réservé à des gens que, malgré leurs efforts, personne n'a jamais regardés de face. Faute d'avoir un visage, une âme, une conscience, une substance, une vérité, on doit se contenter d'être un profil. Les mondes des affaires, de l'administration, de la pub sont peuplés de profils. Ils ressemblent à ces fresques égyptiennes sur lesquelles chacun avance de travers, en ne donnant jamais à voir qu'un côté de lui.

C'est dans cette position inconfortable — pour qui n'en a pas l'habitude — que j'allai présenter mon (meilleur) profil à un quarteron d'hommes de communication. Je n'ai jamais adopté une vêture particulière. Le jean me convient autant que le costume-cravate. Mes amis vous diront probablement qu'ils m'ont plus souvent vu porter celui-là que celui-ci. Pourtant, je n'hésite pas à me travestir en businessman s'il le faut et j'y prends même un certain plaisir. Avec mon blazer neuf, ma cravate en soie, mes chaussures cirées, je correspondais si parfaitement à mon « profil » que je fus engagé séance tenante.

Leur forfait accompli, les hommes de pub disparurent et me laissèrent totalement libre de refaire le journal à ma manière. J'engageai le camarade qui avait partagé avec moi l'éphémère aventure de MSF. Nous agrégeâmes un élément de grande valeur, un ancien mao qui avait participé à la fondation de *Libération*. Il avait créé ensuite un squat culturel dans le quartier Pernety où, jusqu'au premier coup de bulldozer dans les murs, il offrit (à perte) des salles d'exposition et de spectacle à une admirable pléiade de jeunes talents.

Nous dédiâmes notre journal à nos grands confrères voyageurs, les Segalen, Jamot, Leiris et autres, avec l'ambition de créer une revue magnifique, pleine de témoignages, de reportages sur d'autres pays, d'autres

190

cultures. L'humanitaire international qui était en train d'exploser, l'ethnomédecine et ses approches comparatistes, la politique de santé conçue comme une porte ouverte sur la diversité du monde, tout cela trouvait à s'exprimer dans nos pages. C'est ainsi que *Tribune médicale* devint un magazine-culte aujourd'hui disparu dans lequel une génération de médecins put reconnaître ses aspirations à une pratique ouverte sur la planète et le siècle.

J'en suis d'autant plus fier que ma contribution personnelle à ce succès n'a été que modeste. Mon « profil » a seulement servi de paravent pour rassurer les actionnaires et permettre à l'aventure de durer quelques années.

Il était évident que notre peu de souci de la rentabilité condamnait à terme l'expérience. Notre journal, plein de reportages et de photos, était cher. Or, l'équipe de vente publicitaire et la direction administrative n'avaient pas changé et continuaient à pratiquer des méthodes dépassées. En somme, nous ne disposions, pour propulser notre forteresse volante, que d'un moteur de Vespa.

Une fois dépensé l'argent investi pour le lancement de la nouvelle formule, nous commençâmes à tirer la langue. Tout alla ensuite de mal en pis et l'actionnaire finit par baisser le rideau après avoir perdu beaucoup d'argent. La parution se prolongea en tout près de cinq ans mais, au bout de trois, durée qui, tout au long de ma vie, a toujours donné le temps à mes changements, j'ai tiré ma révérence.

Ce n'était pas pour aller quelque part, prendre un autre poste, vendre ailleurs mon profil. J'avais simplement besoin de tout arrêter, après ces années d'action intense, de contacts, de bousculade. Grâce aux économies que j'avais pu accumuler lors de mes années fastes de rédacteur en chef, j'ai décidé de prendre une année sabbatique. La page de l'hôpital était tournée, mon bref passage dans la presse m'avait permis de faire ce qui me plaisait et je n'avais rien d'autre à espérer dans cette voie. Restaient les souvenirs de l'humanitaire, la conviction d'avoir quelque chose à dire là-dessus. Ma première idée fut de bâtir sur ce sujet un projet de recherche que j'irais présenter à Sciences-Po pour en faire, par exemple, une thèse de troisième cycle.

J'étais déjà titulaire d'un doctorat, en médecine bien sûr, mais je n'avais pas consacré beaucoup de temps à la thèse. Depuis longtemps déjà, les thèses de médecine avaient connu une progressive atrophie jusqu'à ne devenir souvent que de simples mémoires. Certains étudiants prenaient encore le temps de rédiger ce que l'on appelait autrefois « une belle thèse ». Mais l'immense majorité se contentait de gratter à la hâte quelques dizaines de pages « à propos d'un cas ». La thèse expédiée, ils pouvaient enfin pratiquer en toute responsabilité. Je fis comme tout le monde et je me contentai d'une thèse croupion. À l'époque où je devais déterminer le sujet, j'étais étudiant à Sciences-Po. Je choisis pour expédier ce pensum un sujet hybride : « La politique sanitaire et sociale de la Communauté européenne ». À l'époque cette politique avait l'immense mérite (pour moi) de ne pas exister. Ma thèse ne comporta donc qu'une cinquantaine de pages écrites gros — et vite.

Pour constituer le jury, je sollicitai le patron et l'agrégé du service — de psychiatrie — où je travaillais alors. Un éminent professeur de sciences politiques accepta de se joindre à eux, assez curieux de participer à une épreuve de médecine. Pour étoffer le jury, il fallait encore une ou deux personnes. Je débauchai sans difficulté un cardiologue qui passait de temps en temps dans le service comme consultant. Quant au cinquième personnage, il me fut livré par le hasard. Peu de temps auparavant, un grand juriste, spécialiste de droit européen, était entré dans nos lits. Le pauvre homme souffrait d'une maladie mentale à rechutes. Il subissait un traitement par perfusions qui l'améliorait beaucoup mais au prix d'effets secondaires bien connus et gênants : sécheresse de la bouche, baisse de tension au lever, troubles de l'accommodation visuelle, etc.

Nous calculâmes qu'à la date de ma thèse, le traitement aurait sans doute produit ses effets positifs. Quant aux autres, nous disposions de moyens pour les soulager provisoirement, pendant le temps de l'épreuve. Au jour fixé, nous le sortîmes de son lit. Un fauteuil roulant le conduisit jusqu'à l'ascenseur. Nous le poussâmes ensuite doucement à travers la cour jusqu'au bâtiment de la faculté. L'un d'entre nous avait en poche toutes les pilules nécessaires pour faire face à un malaise. Arrivés à la salle de thèse, nous l'aidâmes à enfiler la toge noire par-dessus son pyjama. Il prit place parmi les autres membres du jury avec d'autant plus de dignité qu'il était attentif à ne pas s'effondrer par terre pendant ces quelques pas.

La soutenance se passa bien. Le malade y prit un grand plaisir, ce dont nous n'avions pas douté tant il avait accepté avec enthousiasme cette escapade en dehors de son lit. Cet épisode marqua d'ailleurs le début de sa guérison.

Le plus difficile était de trouver quelque chose à dire sur une thèse aussi indigente. Chacun y alla de son petit commentaire personnel, tout à fait libéré pour une fois du scrupule de parler d'autre chose que du sujet, puisqu'en somme il n'existait pas.

On me donna la meilleure mention. Je prêtai le serment d'Hippocrate sous le regard attendri d'un patient sur lequel je venais de commettre un abus de pouvoir manifeste et de mes maîtres qui en avaient été, de bonne grâce, les complices.

Chaque fois que j'eus l'occasion par la suite d'évoquer cette thèse devant le professeur de sciences politiques qui s'était joint à ce jury, je devais subir ses sarcasmes. Il avait été heureux de constater que sa science à lui, pourtant contestée — les juristes et les historiens ont longtemps rechigné à lui donner une reconnaissance académique —, était « plus sérieuse » que cette vieille et incontestable discipline qu'était la médecine. Une thèse de cinquante pages ! Quelle plaisanterie ! Quel amateurisme ! « En sciences politiques, clamait-il, nos thèses font mille pages. Elles demandent entre trois et cinq ans de travail. Leur soutenance prend de longues heures. »

En somme, je lui avais fourni l'occasion d'être pleinement rassuré sur le sérieux de sa propre matière. Il m'en était reconnaissant et me témoignait une réelle sympathie. Toutefois quand, ayant terminé Sciences-Po, j'envisageai de poursuivre par une thèse de sciences politiques, je compris qu'il me ferait suer sang et eau sur cette épreuve et s'arrangerait pour que ma soutenance soit une montée au Golgotha. Il convoquerait certainement dans le jury un professeur de médecine afin de lui montrer ce qu'est une — véritable — discipline scientifique.

Bref, quelque amitié qu'il eût pour moi, le brave homme ne pourrait se dispenser de me faire subir les derniers outrages avant de me délivrer le précieux parchemin.

Cette perspective m'enchantait d'autant moins que je n'avais pas particulièrement envie d'acquérir le titre de docteur en sciences politiques. Je cherchais seulement le lieu propice pour développer mes idées sur les relations entre « humanitaire et politique internationale ». Le sujet, à l'époque, était absolument vierge (on était en 1983). Je rédigeai un plan et le soumis au professeur.

Lorsque, l'ayant lu, il me décrivit les tourments auxquels il allait me soumettre pendant trois ans afin d'en faire une thèse digne de ce nom, je fus saisi de vertige. Le coup de grâce vint quand il conclut : « Si votre thèse est bonne, nous verrons. Peut-être ferai-je un article dans *Le Monde* à partir de vos conclusions.

— "Vous" ferez un article ?

— Oui, moi », me répondit-il en posant un instant le regard sur l'élève outrecuidant qui laissait supposer par sa question qu'il aurait pu prétendre accéder par lui-même à cette prestigieuse tribune.

Je reconnus là la peste mandarinale contre laquelle je m'étais toujours révolté en médecine. À l'évidence, elle contaminait tout le monde universitaire. Le lendemain, j'apportai mon plan à un éditeur. Une semaine plus tard, je recevais un contrat pour écrire un livre. Il n'y aurait pas de thèse de sciences politiques.

Je ne revis plus jamais mon professeur.

18

Dans les années qui ont suivi mon départ de Médecins sans frontières, j'ai peu voyagé. Pendant quelques mois, à des fins purement lucratives, j'ai assuré des évacuations sanitaires pour le compte d'une société d'assurances. Cette activité est à l'humanitaire ce qu'un étalage de chez Fauchon est à une camionnette des Restos du Cœur. Nous rapatriions avec beaucoup d'égards des personnes qui, certes, avaient connu des incidents ou même parfois des accidents sérieux. Elles n'en demeuraient pas moins des privilégiés, au regard de la misère absolue que connaissent les victimes des guerres ou les réfugiés.

Ma seule mission humanitaire proprement dite, je l'ai exécutée en Pologne. C'était à l'époque héroïque du syndicat Solidarność. Le feu d'artifice polonais illuminait l'Europe de l'Est et laissait espérer, dix ans après le Printemps de Prague écrasé sous les chars soviétiques, qu'on était peut-être à l'aube d'une liberté nouvelle. J'avais fait, comme tant d'autres, le pèlerinage de Varsovie. J'y avais rencontré des artistes, des intellectuels, tout un peuple qui vivait dans la fièvre de cette aventure démocratique. Puis la chape de plomb était retombée. L'état de guerre décrété par le général Jaruzelski avait ramené le pays à la triste réalité du joug soviétique. Où étaient tous les dissidents que nous avions connus ? Comment allaient survivre ceux que nous avions vu prendre tant de risques pour leurs idées ? Avec quelques amis, nous décidâmes de nous rendre sur place.

Nous n'étions plus membres d'une association humanitaire. Il nous fallait tout organiser par nous-mêmes. Nous trouvâmes le véhicule ; des contacts dans l'industrie pharmaceutique nous fournirent une cargaison de médicaments. Nous la chargeâmes à l'arrière de la camionnette. C'était l'hiver, nous utilisions comme QG le squat de la rue Pernety, toujours disponible pour les projets fous, pourvu qu'ils assurassent à son directeur l'occupation de ses nuits blanches.

Peu importait en vérité ce que nous emportions. L'essentiel était le témoignage, la présence personnelle auprès de ceux qui devaient se sentir atrocement seuls face à la dictature. Dans ce but, nous enrôlâmes dans le convoi Bertrand de Saint-Vincent, alors journaliste au *Quotidien de Paris*. Il bénéficiait de notre « couverture » puisque nous le fîmes passer pour un humanitaire. Il s'engageait à restituer ce que nous allions voir et à donner un écho dans l'opinion publique au drame polonais.

Ces préparatifs n'étaient pas la partie la plus difficile de la mission. L'essentiel était l'obtention de visas. L'ambassade de Pologne à Paris n'en délivrait plus aucun. D'après les informations qui filtraient, le pays était sous couvre-feu. Les villes étaient encerclées par l'armée et il était exclu de circuler de l'une à l'autre.

Quelques journalistes s'étaient trouvés coincés à Varsovie, mais il leur avait été impossible d'en sortir. Comment pouvions-nous espérer faire mieux, alors que nous n'appartenions à aucune ONG connue ?

La solution nous fut apportée par une amie de Sciences-Po, disparue hélas peu après à la suite d'un accident cérébral tragique. Patricia avait noué pendant les mois précédents une relation d'une nature que je n'ai jamais élucidée avec un consul de Pologne au Danemark, pays dont elle était originaire par son père. Ce diplomate, outre l'intérêt qu'il portait à la jolie Française, avait la vie encombrée par une constipation opiniâtre dont il semblait beaucoup souffrir. Le seul remède qu'il eût trouvé, après en avoir essayé d'innombrables, était un médicament français, la Fructine-Vichy.

En tant que médecins hospitaliers, nous étions portés à considérer cette pathologie et plus encore ce traitement avec une condescendance amusée. La constipation nous irrite comme ces petits mendiants qui empêchent d'admirer tranquillement les pyramides d'Égypte ou les temples romains de Tunisie. Quand nous sommes, nous, médecins « sérieux », absorbés dans la contemplation de maladies dignes de ce nom, c'est-à-dire rares, complexes et mortelles, il nous est toujours pénible de voir le patient s'en montrer indigne et préférer, à l'affection considérable qui menace de l'emporter, le tourment sans conséquence d'un transit intestinal ralenti. À l'hôpital, nous manifestons cette mauvaise humeur en prescrivant à dose massive des produits de vidange à l'effet parfois trop radical. En consultation de ville, c'est autre chose. Les malades n'ont souvent rien d'autre à se mettre sous la dent que leur constipation et le médecin doit tenir pendant des années avec ce maigre bagage. La Fructine-Vichy ainsi que la poudre de Perlimpinpin sont de pauvres moyens destinés à fidéliser le client, en attendant qu'un véritable drame survienne enfin.

Notre amie nous assura que, moyennant la livraison — discrète — d'une quantité substantielle de Fructine-Vichy, le diplomate nous arrangerait les précieux visas.

Notre voyage commença donc par Copenhague. Là, dans une scène digne tout à la fois de John Le Carré et de Molière, nous eûmes une entrevue avec le consul. Tout son physique était une ode à la constipation. À pas menus, le visage crispé, il se saisit du sac en plastique dans lequel nous avions fourré son traitement. Il alla le cacher derrière une colonne en faux marbre du jardin d'hiver puis, comme promis, nous remit visas et laissez-passer. Il faut croire que nous avions apporté la bonne dose (en fait : deux ans de traitement), car il ne nous gratifia pas seulement d'une autorisation de séjour mais aussi d'un permis de circuler. Il nous donnait le droit, pour ne pas dire le privilège extraordinaire, de pouvoir sortir des cités encerclées et voyager librement jusqu'à Lublin, ville située très à l'est, que nous avions volontairement choisie comme destination finale.

Ainsi avons-nous pu revoir nos amis polonais, leur apporter de l'aide mais surtout une présence, un témoignage de fraternité. Ce fut un voyage triste et beau. Il serait un peu exagéré de le ranger sous le vocable de mission humanitaire. Il s'agissait plutôt d'un geste de fidélité. Fidélité double. À l'égard de nos amis polonais, bien sûr. Mais aussi fidélité un peu nostalgique aux idées que nous avions défendues à Médecins sans frontières.

Car, au-delà des querelles de personnes, cette association a été, à cette époque, l'un des lieux où s'est effectué le revirement politique de beaucoup d'esprits tentés par les idéaux de l'extrême gauche. La rencontre de la tragédie cambodgienne, l'invasion de l'Afghanistan par les Russes, la confiscation de la révolution nicaraguayenne par les pro-castristes étaient autant de preuves du discrédit du communisme soviétique, autant de raisons de prendre le parti des dissidents et de revenir aux valeurs de la démocratie et de la liberté. Cette conversion était en germe quand j'étais à MSF mais je ne l'avais pas compris car, ne venant pas moi-même de l'extrême gauche, je n'avais pas d'aggiornamento à accomplir, pas de fantôme à sortir des placards. Je ne devais en prendre la mesure que plus tard lorsque MSF organisa, par le biais de la Fondation Liberté sans frontières, le grand colloque sur le tiers-mondisme. Alors seulement, avec les œuvres de Revel et de Pascal Bruckner, je pris conscience de ce que je n'avais pas compris sur le moment : le mouvement humanitaire français était une étape sur le chemin qui menait de l'engagement communiste au combat antitotalitaire. Quasiment toutes les victimes au secours desquelles nous nous portions fuyaient des révolutions importées, des États confisqués par des dictatures se recommandant du marxisme. Après Budapest et Prague, les pays du tiers-monde étaient les nouveaux théâtres de la violence totalitaire. Se porter au secours des populations que cette violence écrasait était faire acte politique. Le sens véritable de la Marche pour la survie du Cambodge m'apparut : non pas opération de secours mais pression politique pour rompre le silence autour d'une dictature. Il était trop tard pour revenir en arrière. L'engagement auprès des Polonais était une manière — tardive — de rejoindre le mouvement et de faire, à mon tour et sans moyen, un humanitaire engagé, au service de la liberté.

Au moment où je signais un contrat pour écrire un livre sur « Humanitaire et politique internationale », ces expériences me revinrent en mémoire. Mais il m'apparut clairement qu'elles n'étaient pas suffisantes. Il était nécessaire de nourrir encore ma réflexion. J'en avais besoin et envie. Car, à revenir sur ce sujet, le goût de l'action m'avait de nouveau saisi. Je me dis que mon départ de Médecins sans frontières ne pouvait être conçu comme une rupture définitive avec l'humanitaire. Il y avait d'autres organisations. Je pouvais les rejoindre et agir. Je tentai plusieurs démarches et me retrouvai bientôt à Action contre la faim, qui portait à l'époque le nom d'AICF.

Cette organisation restait singulière, dans le paysage humanitaire de l'époque. Elle avait été créée au lendemain de l'invasion de l'Afghanistan par un groupe d'intellectuels médiatiques, emmenés par Françoise Giroud et Jacques Attali. Ils avaient mis leur carnet d'adresses en commun. Le résultat était impressionnant : prix Nobel, grands éditorialistes, romanciers à succès s'y côtoyaient avec courtoisie. Rien à voir avec les anonymes braillards qui peuplaient les autres ONG. De grands esprits, donc, mais qui avaient l'inconvénient d'être difficilement maniables et de disposer de peu de temps. Opiniâtre, Attali recruta un secrétaire général pour mettre sur pied une organisation digne de ce nom. Il obtint que Médecins sans frontières servît d'incubateur. J'avais croisé, rue Daviel, des représentants attentifs de l'AICF qui venaient s'inspirer de nos méthodes. C'était pourtant la dernière chose à imiter. Quand MSF, sous l'impulsion de Lénine, commença à pratiquer l'efficacité, les petits poussins de l'AICF avaient déjà pris leur envol, avec leur provision de mauvaises habitudes héritées des nôtres. C'est bien plus tard, sous la présidence de José Bidegain, un homme familier du tout-Paris intellectuel mais doté d'une solide expérience managériale, que l'association s'est structurée, au point de rejoindre aujourd'hui, en France, le trio de tête des organisations humanitaires par son budget et le nombre de volontaires qu'elle envoie sur le terrain.

À l'époque où je rejoignis l'AICF, on en était loin. L'organisation partageait des locaux avec le Festival d'automne dans un prestigieux immeuble de la rue de Rivoli. Les dorures, les plafonds à six mètres de hauteur, la vue sur le Louvre pouvaient faire illusion : en réalité, à part la grande salle de réunion qu'elle était autorisée à occuper de temps en temps, l'association ne disposait en propre que de trente mètres carrés.

La petite équipe des permanents (deux personnes) accueillit avec enthousiasme mes offres de service. Je fus immédiatement bombardé « directeur médical », titre impressionnant, mais qui ne coûtait pas cher (j'étais toujours bénévole) et surtout qui ne signifiait pas grand-chose. L'association ne disposait d'aucun médecin à diriger et n'avait encore monté aucune mission à caractère médical.

Le premier théâtre sur lequel j'exerçai mes talents supposés fut les Philippines. Nous n'avions pas prévu d'y faire quoi que ce soit. Mais la rumeur du départ imminent du dictateur Marcos incita les responsables de l'association à y envoyer une équipe exploratoire. Je me trouvais alors à Bangkok avec deux confrères pour faire le point sur une autre mission. Nous sautâmes dans un avion pour Manille. Il advint que ce fut le dernier. L'aéroport ferma derrière nous. Nous rejoignîmes la ville en taxi, constamment arrêtés par des barricades joyeuses, des brasiers de pneus autour desquels la foule dansait. La capitale avait pourtant l'air calme. Nous prîmes des chambres d'hôtel et nous sortîmes pour dîner. Nous étions attablés dans une pizzeria à l'américaine avec serveurs déguisés, portions géantes et karaoké quand nous avisâmes, dans un coin, un téléviseur sur lequel semblait se dérouler quelque chose d'inhabituel. On y voyait une foule immense qui piétinait. Nous appelâmes un des malheureux serveurs affublé de son bonnet de toile à rayures et nous lui demandâmes explication de ces images. Il approcha du téléviseur auquel nul ne prêtait attention, monta le son, écouta un instant et revint nous dire : « C'est la révolution.

— La révolution ! Où cela ?

— Ici, à Manille.

— Mais quand ?

— Maintenant. »

Quelques passants arpentaient la rue, tranquilles comme Baptiste. De temps en temps, une voiture passait à une allure normale. Devinant nos pensées, le serveur dit en riant :

« C'est grand, Manille. La révolution, ça se passe dans un autre quartier. »

Il nous parla du palais de Maracanhan, où le chef de l'État séjournait encore. Nous sautâmes dans un taxi.

Aux abords du palais, les rues devenaient impraticables. Des milliers de gens s'y agglutinaient et nous nous y enfonçâmes. Tous les trois, nous étions de haute taille et dominions d'une bonne tête la mer de cheveux noirs des petits Philippins.

Pressés, mais sans bousculades, nous avancions régulièrement, comme digérés par le grand intestin de la multitude. Bientôt, des projectiles venus d'on ne sait où commencèrent à pleuvoir sur nous. Il se produisait à chaque fois un phénomène étrange : la foule, qui paraissait si compacte, s'écartait presque spontanément et dessinait un grand cercle vide autour de l'objet tombé à terre. La crainte d'une riposte militaire était telle que tout le monde croyait recevoir des grenades quand on ne nous lançait que des cailloux, des bouteilles vides, et même des fruits blets.

Vers minuit, nous entendîmes le bruit d'un hélicoptère au-dessus de nos têtes. Nous sûmes le lendemain que l'appareil emportait le dictateur et sa femme. Un peu plus tard, comme si une résistance avait cédé, la foule avança plus vite. En quelques minutes, nous atteignîmes les grilles du palais que les manifestants avaient secouées, forcées et abattues. Nous entrâmes dans la présidence désertée. Le peuple avait immédiatement commencé à la piller.

Voilà comment l'AICF put se prévaloir d'être la première ONG d'urgence à pénétrer dans ce pays en révolution...

Ce fut pour moi une nouvelle occasion de constater l'écart immense qui existe entre la perception internationale d'un événement et la réalité de terrain. Les commentateurs ont une fâcheuse tendance à confondre convulsions politiques et drames humains. Pourtant, comme dans le cas de la révolution nicaraguayenne, la chute du dictateur philippin ne s'accompagna d'aucune véritable crise humanitaire. Le pays resta dans l'état où il était auparavant, avec sa même proportion choquante de riches et de pauvres. Nous dûmes chercher longtemps pour trouver quelque chose à faire et finalement nous décidâmes de monter une mission auprès des petits paysans sur l'île de Negros. C'était un programme utile, certes, mais qui ne correspondait à aucune véritable urgence. L'argent des donateurs n'était pas mal employé, mais le ton pathétique que l'on avait utilisé pour les convaincre était loin d'être en accord avec la nature véritable du programme mis en place.

J'éprouvais un certain écœurement à me rendre ainsi complice d'un humanitaire-spectacle, à la remorque de l'actualité, qui se mettait en scène devant des drames politiques auxquels il ne pouvait, en réalité, apporter aucun remède.

Aussi, quand l'année suivante éclata la terrible famine éthiopienne, j'eus l'impression d'un salutaire retour aux sources. Cette fois, il y avait bien tragédie, et de quelle ampleur ! Des régions entières étaient habitées de spectres, bientôt de cadavres. Un dénuement extrême jetait des paysans sur les chemins du désespoir et dans des camps immenses, lieux de survie pour les uns, mouroirs pour les autres. Il n'y avait plus de questions à se poser quant à l'utilité de l'action. Et cela se passait sur les lieux de ma première mission, dans cette corne de l'Afrique qui était restée pour moi comme un premier amour, le thème d'une nostalgie récurrente.

Je peux dire que la famine éthiopienne fut mon premier véritable engagement humanitaire. Jusque-là, c'était un peu par hasard que je m'étais approché de ce monde. J'y fuyais la déception que m'avait causée la médecine hospitalière ; j'y poursuivais le rêve de ce qui pour moi était l'action, rêve bricolé à partir de souvenirs familiaux et de lectures mal digérées. Le tout donnait une approche superficielle et purement intellectuelle de l'action, approche qui m'avait conduit jusqu'aux aridités de la « science » politique. Puis est venue l'Éthiopie.

Délivré de la contrainte hospitalière, je pus m'y plonger totalement, rester sur place longtemps. Et là, tout à coup, il n'y eut plus de faux-semblants, d'idées creuses, plus aucune trace de dandysme humanitaire. Seulement l'émotion. Toutes les émotions.

L'épouvante devant la mort de masse, la détresse absolue ; la tendresse pour ces lieux abandonnés, cette ville d'Asmara, capitale de l'Érythrée, théâtre peuplé d'ombres disparues ou en voie de le faire, tels ces vieux Italiens arrivés avec le fascisme et condamnés à mourir dans leur exil ; la fraternité avec mes camarades de mission, à un moment où n'existaient ni téléphones portables ni ordinateurs, où l'éloignement était radical et, par contrecoup, plus intense aussi le rapprochement entre ceux qui partageaient le même manque douloureux de leurs proches ; l'amour aussi, car il m'a été donné de le rencontrer et l'engagement contracté sur cette terre éthiopienne devait révéler au fil des années et jusqu'à aujourd'hui sa profondeur.

Je montai une mission pour l'AICF, à Rama, près de la frontière entre Érythrée et Tigré. J'y mis toute mon énergie, toute ma foi, tout mon cœur. Les impressions, les émotions me submergeaient et je me sentais bien incapable de les traduire en récits, en mots. C'est beaucoup plus tard, par le détour du roman, qu'il me serait possible de m'en libérer. Sur le moment, je me contentais de m'emplir, douloureusement et voluptueusement en même temps, de cette vague de vie, d'images, de paysages, de dialogues, de joies, de souffrances.

Je fus tiré de cette quiétude par une polémique lancée de Paris par mes anciens camarades de Médecins sans frontières. Dénonçant le régime du colonel Mengistu, ils affirmaient, non sans raison, que la famine n'était pas spontanée. Le gouvernement éthiopien, après l'avoir organisée, tentait d'en tirer parti en utilisant l'aide internationale pour servir ses projets meurtriers et notamment la déportation en masse de populations du nord vers le sud. Ces prises de position conduisirent MSF à se retirer d'Éthiopie.

J'étais aussi conscient que les autres de la réalité de ces faits. Rien ne me rendait sympathique l'horrible pouvoir totalitaire qui régnait alors sur Addis-Abeba. Pourtant, je pris violemment le contre-pied de Médecins sans frontières. Je plaidai pour le maintien de l'aide et menai un mouvement qui se constitua en alternative à la position de mes anciens camarades. Toute une partie des ONG s'aligna sur cette position et décida, comme l'AICF, de rester dans le pays.

Vingt-cinq ans plus tard, je n'ai pas envie de rouvrir la polémique. Beaucoup d'autres crises nous ont montré que, face à un mur d'injustice et de violence, existent toujours deux attitudes opposées : l'une de dénonciation qui conduit à l'expulsion, l'autre de subversion qui permet de rester sur place et d'agir au prix d'un silence relatif (car il y a toujours des moyens de faire sortir les informations que l'on a pu recueillir sur le terrain). Ces deux attitudes se complètent plus qu'elles ne s'opposent.

Je ne veux retenir aujourd'hui de l'épisode éthiopien que les motifs profonds qui m'ont poussé à prendre la position que j'ai défendue. Au-delà de la pertinence des arguments, la violence avec laquelle j'embrassai le parti que j'avais choisi montrait assez que ces événements mobilisaient bien autre chose en moi que la raison.

Il s'y mêlait d'autres forces, plus troubles. Un désir de revanche, peut-être, à l'égard de mes anciens condisciples de Médecins sans frontières. L'impression d'une amitié trahie, celle que j'avais pour Lénine. Auprès de lui, un autre homme de confiance m'avait remplacé, un ancien mao en perdition à Bangkok d'où Lénine l'avait tiré du suicide. L'affaire éthiopienne était pour moi l'occasion d'asséner des coups à mon rival, car c'était lui qui portait la parole de MSF sur ce sujet. Parmi les autres forces qui me poussaient à poursuivre la mission en Éthiopie, certaines étaient moins nobles : j'étais victime de ce « syndrome du pont de la rivière Kwaï » qui incline à accorder plus de valeur au travail accompli qu'à son résultat final. On a envie de préserver son ouvrage, même s'il contribue à aggraver la situation. Nous avions accompli un effort gigantesque à Rama. C'était la première mission d'envergure de l'AICF. Incontestablement, nous n'avions pas envie de l'abandonner. Cette raison n'est pas honorable, j'en conviens, mais elle est humaine.

Plus profondément encore, il y avait de bien inavouables motifs personnels. J'étais amoureux. Je ne voulais pas quitter celle que j'aimais. Azeb, la femme que j'ai rencontrée à Addis à cette époque, partage toujours ma vie et m'apporte un grand bonheur. La vie nous a parfois éloignés mais je suis toujours revenu vers elle, comme vers, la médecine, en somme. Avec nos deux filles, nées sur la frontière nord-sud et qui empruntent à chaque versant ses qualités, elle est à mes côtés aujourd'hui à Dakar pour représenter la France et elle s'en acquitte magnifiquement.

J'ignorais tout cela, à l'époque où nous discutions de la conduite à tenir face à la dictature de Mengistu. Mais il me semblait que l'amour abstrait pour toute une population que proclamaient depuis Paris les partisans du retrait valait bien l'amour concret que je concevais pour une seule personne, qui était reliée à ce drame.

J'aurais été incapable de démêler toutes ces raisons et plus encore de les formuler. Nous en restâmes donc, à la surface, au débat d'idées, au combat de coqs. Un rouage avait imperceptiblement tourné en moi et déclenché un mouvement intérieur qui aurait de grandes conséquences. Je comprenais que l'approche intellectuelle, théorique, politique, n'est qu'un vernis fragile, la couche brillante et lisse dont on recouvre le contenu trouble de nos motivations profondes. Peut-être faut-il y voir la cause de l'éternel divorce entre gens de terrain et gens du siège, entre ceux qui, sur place, éprouvent la souffrance — fût-ce celle des autres — et ceux qui, dans une lointaine capitale du Nord, dissertent froidement et décident.

Mon séjour éthiopien m'apporta les données qui me manquaient pour rédiger l'essai auquel je m'étais attelé. Au retour, j'écrivis *Le piège humanitaire* et le remis à l'éditeur dans les délais prévus. Pourtant, à l'instant même où j'achevais ce texte, je sentis qu'il ne contenait pas ce que j'avais profondément eu envie d'y mettre. Il faisait œuvre utile en comparant des expériences diverses, en analysant ce qui, du Nicaragua aux Philippines, de l'Éthiopie à l'Afrique australe, pouvait se révéler commun aux différents terrains de l'humanitaire. Cependant, j'avais le sentiment qu'il restait par trop à la surface des choses.

Il ne me servait à rien de multiplier les expériences, d'accumuler les perceptions, les rencontres, si je n'étais pas capable d'aller au-delà des idées abstraites, des concepts, pour comprendre intimement ce que je faisais et ce que je voyais. Il me fallait percer le vernis du rationnel et aller plus au fond des choses, jusqu'à révéler leur complexité, leur ambivalence, leur humanité. Cette voie s'appelait la littérature. Je ne le savais pas encore.

19

Lorsqu'un médecin écrivait au début du XXe siècle, il le faisait avec, sous les yeux, de grands modèles. De Céline à Henri Mondor, de Tchekhov à Georges Duhamel, la présence des médecins dans toutes les formes de littérature les rendait légitimes. La rupture avec la culture n'était pas encore consommée. Aujourd'hui la médecine, on l'a vu, est devenue science et technique ; elle a chassé de sa formation toute référence aux humanistes. Aussi le médecin qui prend la plume a le sentiment d'être un aventurier qui s'avance hors de son domaine, mal équipé, sans boussole et destiné à rencontrer des tribus hostiles.

C'est pourquoi, sans doute, malgré un désir qui me portait déjà vers la littérature, j'ai commencé par écrire des ouvrages techniques, proches de mon expérience. Comme si, rattaché à ces données concrètes, je pouvais y conserver une base de repli, une coquille dans laquelle me rétracter en cas d'attaque.

Mon premier livre, *Le piège humanitaire*, a fait aboutir le projet de thèse que j'avais imprudemment proposé aux mandarins de la science politique. Dans une partie introductive, j'y retraçais l'histoire de l'action humanitaire, en relation avec les différentes époques et situations politiques. C'était pour moi le moyen de replacer l'aventure du « sans-frontiérisme » (je suis à ma connaissance le premier à avoir utilisé ce terme) dans un cadre plus vaste. Cela permettait de comprendre en quoi il était en continuité avec ce qui l'avait précédé mais aussi sa nouveauté radicale. Il est né en Europe sur une terre préparée par la longue œuvre de la charité chrétienne. Mais il s'est créé en rupture avec cette notion religieuse et prend place dans l'effort plus vaste des Philosophes pour fonder une charité sans Dieu. Ensuite, dans une deuxième partie, je décrivais trois types de situations dans lesquelles se retrouvaient, par-delà les continents et les dates, des contraintes identiques appliquées à l'humanitaire : guérillas et camps de réfugiés, révolutions, catastrophes « utiles » instrumentalisées par des États peu ou pas démocratiques. Enfin, je concluais par un essai inspiré de Clausewitz sur le thème : « L'humanitaire est la poursuite de la diplomatie par d'autres moyens que la guerre. »

Tous ces thèmes seraient, dans les années suivantes et jusqu'à aujourd'hui, l'objet d'innombrables livres, films, conférences et thèses. Mais à l'époque où est paru ce livre (1986), l'humanitaire émergeait à peine comme acteur, pas encore comme sujet. Le seul propos audible était celui qui, prenant l'approche humanitaire en tant que moyen, définissait son sujet dans l'époque. Or, l'époque, c'était encore la guerre froide.

Au moment où je faisais paraître *Le piège humanitaire*, ouvrage compliqué, nourri d'expériences et de concepts empruntés à des disciplines variées, André Glucksmann

212

et Thierry Wolton publiaient *Silence, on tue*, livre simple, mettant en scène les dérives de l'action humanitaire en Éthiopie. Les auteurs avaient pris contact avec moi, ignorant que je travaillais aussi sur le thème, pour se rendre à Addis-Abeba, *après* la remise de leur manuscrit, de façon à pouvoir affirmer, pendant la promotion du livre, qu'ils parlaient d'un sujet qu'ils connaissaient. *Silence, on tue*, rigoureuse illustration de la guerre froide, appliquée à un seul sujet, l'Éthiopie, située dans une actualité brûlante et signée par des auteurs médiatiques, connut évidemment un grand succès. *Le piège humanitaire* passa du coup presque inaperçu. Seule la partie consacrée à la crise éthiopienne fut chroniquée dans la presse grand public. Sous la plume de Jean-François Revel, le mérite de mon travail était d'apporter la caution « d'un médecin connaissant le terrain » aux idées exprimées par ceux dont c'était le métier, c'est-à-dire les philosophes.

Pour les intellectuels patentés, je restais « un médecin qui connaissait le terrain ». Un tel mépris n'aurait pas frappé un mathématicien, un juriste ou un ancien élève de l'ENA. Je me rendais compte, pour la première fois, du handicap que constitue le fait d'être médecin dans le domaine de la pensée. Je mesurais à quel point notre profession avait « décroché » dans la considération qu'on lui portait. Son triomphe technique s'était accompagné d'une disqualification intellectuelle totale, comme si le seul ordre où elle pouvait être reconnue était celui de l'action et des concepts scientifiques.

Un ancien élève de Sciences-Po aurait commis cet ouvrage, il aurait été accepté comme une contribution à la pensée. Que cet ancien élève de Sciences-Po soit *aussi* — et d'abord — un médecin faisait de ce livre un simple recueil d'aventures vécues et constituait un appel à ce que d'autres, moins ignorants, se penchent sur ce matériau brut et lui insufflent la vie de *leur* esprit.

Ce constat était assez désespérant, d'autant que je sentais qu'il serait durable et fixerait pour longtemps le cadre de contraintes dans lequel j'évoluerais si je persistais à vouloir produire des ouvrages grand public.

Tout était ambigu dans cette première expérience. Mon contact avec les milieux de l'édition était ainsi marqué par une double et contradictoire sensation. L'impression, qui ne s'est jamais démentie par la suite, fut d'avoir été reconnu et aidé par les éditeurs. Alors que les universitaires, avec leur morgue habituelle, ne cherchaient qu'à récupérer mes idées à leur profit, je trouvais dans l'édition des personnes en quête de sujets originaux qui encourageaient le talent d'où qu'il provienne. Nicole Lattès et Jacques Baudouin furent les seuls à me donner loyalement une chance, à croire en ce que j'avais à dire et à me fournir les moyens d'être entendu.

En même temps, cette première expérience me montra que l'édition, et particulièrement celle qui s'adresse à un large public, peut dévaloriser les textes qu'elle prétend servir, en les orientant vers l'attente immédiate des journalistes et du public. Ainsi ai-je vu récemment un chef-d'œuvre comme le roman *Shantaram* de Gregory David Roberts passer en France pour pertes et profits parce qu'il avait imprudemment été lancé au milieu des milliers de publications consacrées à l'année de l'Inde. De même, Théodore Roszak et sa magnifique *Conspiration des ténèbres* ont-ils été tués par des éditeurs croyant malin d'en faire un clone du *Da Vinci Code*. En ce qui me concerne, j'eus à vivre une malédiction du même ordre.

Mon livre était prêt et les épreuves corrigées. Le titre choisi, sans être génial, recouvrait à peu près le sujet traité : l'ouvrage s'appelait *Le piège humanitaire*. Or, un après-midi, tandis que j'arpentais le service de presse de l'éditeur pour préparer la promotion du livre, apparut Françoise Xenakis, qui accompagnait Nicole Lattès, alors patronne des éditions J.-Cl. Lattès.

« Et que fait donc ce jeune homme ? s'écria Mme Xenakis, un peu ivre de sa gloire d'alors.

— Il publie chez nous un livre très intéressant sur Médecins sans frontières et les paradoxes de la charité, répondit Nicole Lattès. Cela s'appelle *Le piège humanitaire*.

— Pouah ! s'exclama la grande romancière. Mais avec un titre pareil, mon petit, vous n'en vendrez pas quatre. »

Avec un rire de gorge et en me regardant d'un air mutin, elle poursuivit :

« C'est important, un bon titre. Tenez, par exemple, mon prochain livre s'appelle *Mouche-toi, Cléopâtre.* »

J'étais au comble de la terreur. Mon manque d'expérience me rendait incapable d'articuler la moindre défense cohérente. De plus, j'ai le caractère ainsi fait que je cherche toujours ce qu'il peut y avoir d'utile dans les propos les plus apparemment incongrus, surtout s'ils sont critiques. Cette femme, malgré toute sa maladresse, ne m'ouvrait-elle pas un monde nouveau et passionnant : celui du grand public. Je n'avais jusque-là connu que des « spécialistes » qui s'adressaient exclusivement à leurs pairs ou à un public restreint d'initiés. Mon ex-futur patron de thèse aurait probablement intitulé mon travail : « L'action humanitaire internationale d'urgence dans ses rapports avec les acteurs politiques des conflits de basse intensité ». Et il aurait été très content de lui.

J'en étais maintenant à *Mouche-toi, Cléopâtre*. Qu'est-ce qui était préférable ?

Cependant la grande écrivaine, déçue par mon air niais et lassée d'attendre de ma part une repartie, prit notre éditeur sous le bras et conclut :

« Viens, Nicole, allons boire ce thé. En rentrant, je suis bien sûre que nous aurons un titre pour ce garçon. »

Elles prirent le thé, rentrèrent et m'annoncèrent avec hauteur la grande nouvelle : mon livre aurait pour titre *Le piège*.

« *Humanitaire*, c'est très laid, trancha Françoise Xenakis.

— Mais, c'est… le sujet…, bredouillai-je.

— *Le piège*, vous dis-je. C'est bref, ça claque, ça interpelle. C'est fort. Bravo, mon garçon, vous avez un beau titre ! »

Sur cette réplique sans appel, l'auteur de *Mouche-toi, Cléopâtre* tourna les talons et me laissa effondré sur ma chaise.

Le livre parut sous le titre *Le piège*. Il fit un flop commercial. André Glucksmann, qui triompha avec *Silence, on tue*, eut la cruauté de dire que j'étais « tombé dans mon propre piège ». Il avait parfaitement raison.

Cette leçon, quelque douloureuse qu'elle fût, m'apporta beaucoup d'enseignements. D'abord, elle me valut, une fois pour toutes, d'entrer dans le circuit de l'édition commerciale. Plus jamais je ne reviendrais aux publications confidentielles et académiques. Ma rupture avec l'université était en germe bien avant, mais je n'avais pas tout à fait abandonné l'idée de me raccrocher à une petite carrière d'enseignement ou de recherche. À partir du *Piège*, il n'en fut plus question. J'avais poussé mon esquif vers la haute mer. Je n'avais plus aucune envie de caboter dans les eaux dormantes de l'université, ce lagon protégé des grandes houles de la concurrence et de la pensée.

Mais je compris aussi qu'accepter les règles de l'édition commerciale supposait de les connaître et d'apprendre à les manier. Il n'était pas suffisant de s'en remettre à un éditeur, si brillant fût-il — et Nicole Lattès est un grand éditeur. L'auteur devait s'impliquer partout : dans le titre, la couverture, la quatrième de couverture, la date de parution, la publicité et le résumé fait pour la presse. Si j'avais sombré avec mon malheureux *Piège*, c'était parce que je n'avais pas moi-même assez travaillé. Face à un bon titre, ni Françoise Xenakis ni personne n'aurait eu quoi que ce fût à m'opposer.

Parmi les enseignements de ce premier livre, il en est un qui a été magistralement dévoilé pour moi par Bernard-Henri Lévy. Nous nous étions rencontrés au moment de la famine éthiopienne. Je l'avais accompagné dans un long périple à travers le pays et j'avais appris à le connaître et à apprécier ses profondes qualités de cœur. C'est un homme très éloigné de la caricature qui en est faite et à laquelle il a parfois contribué lui-même. Sincèrement désolé d'assister à la déroute de mon *Piège* — je l'avais connu trop tard pour qu'il pût m'aider à l'éviter —, il me consola en me disant : « De toute façon, tu verras : un livre vaut plus que son succès ou son échec éditorial. En langage comptable, on dirait que c'est une extraordinaire encaisse. » La suite devait montrer à quel point il avait raison.

Le piège humanitaire — je parvins, au moment de l'édition en livre de poche, à lui rendre son titre complet —, s'il ne trouva guère d'écho dans le public, eut néanmoins pour effet d'attirer l'attention d'un grand nombre de personnes de qualité. Dans le milieu humanitaire au sens très large, des ONG jusqu'aux grandes institutions internationales, il fut beaucoup lu et commenté. De nombreux volontaires partant en mission le glissèrent dans leur sac et y trouvèrent un noyau d'idées qu'ils purent enrichir par la suite de leurs propres expériences et réflexions.

Dans les universités, où l'humanitaire commençait tout juste à être un sujet, des étudiants studieux, contraints d'accepter l'esclavage auquel je m'étais soustrait, en firent le point de départ de nombreux mémoires et thèses. Le sujet « humanitaire et relations internationales » puis « humanitaire et militaire » devint, pendant une décennie et jusqu'à épuisement du filon, un thème rebattu de colloques, de dossiers de presse, d'émissions de radio. Et chaque fois, soit on me demandait d'y participer, soit on s'inspirait de mon pauvre *Piège*.

Cette fortune du livre ne changea pas fondamentalement ma condition. Je ne reçus aucune proposition ni de l'université ni de la presse, mis à part quelques participations ponctuelles et mal rétribuées à des événements dont d'autres, mieux installés dans la place, recueillaient le profit. Mais elle eut pour effet inattendu de me relancer dans l'action.

Parmi les portraits qui figuraient dans le livre, il en était un qui représentait l'homme que j'ai jusqu'ici appelé Lénine. Devenu le seul patron de Médecins sans frontières, Lénine, en esprit pragmatique, avait fait son aggiornamento politique. Il avait rompu avec ses idées gauchistes, jeté Marx aux orties et était devenu un farouche militant du libéralisme et des droits de l'homme. Cette ferveur démocratique l'avait mis sur le chemin de personnages situés plutôt à droite — notamment à l'occasion de la formidable opération de relations publiques qu'avait été la Marche pour la survie du Cambodge. Il était désormais proche d'Alain Madelin ou de Gérard Longuet, qui étaient parvenus à la même modération par le détour d'autres excès, situés pour eux à l'extrême droite. Quoi qu'il en soit, Claude Malhuret, il est temps de l'appeler par son vrai nom, était devenu ministre d'un gouvernement Chirac. Il y était préposé à la défense des droits de l'homme. Privé d'administration et de budget, lié par la solidarité gouvernementale à un Charles Pasqua, ministre de l'Intérieur, qui entendait « terroriser les terroristes » et renvoyer les immigrés par charter, la tâche de Malhuret n'était pas facile. Enfermé dans un bureau de belles dimensions, agréable quoiqu'un peu humide, il était coupé de la réalité par un directeur de cabinet qui veillait sur lui jalousement et contrôlait toutes ses communications avec le monde extérieur.

À la publication de mon livre, Lénine-Malhuret reprit contact avec moi. Il avait craint que je donne de lui une image déformée par la rancune, au lieu de quoi je lui avais témoigné une admiration et un respect sincères. Nous nous revîmes et, en peu de minutes, il m'avoua dans quelle triste position il se trouvait, du fait des responsabilités qu'il avait endossées.

J'étais, pour la première fois de ma vie, mais hélas pas la dernière, dans une situation de quasi-chômage. Il le comprit et m'offrit un poste à son cabinet. Je l'acceptai en remerciant la Providence.

Mon rôle dans l'équipe n'était pas clairement défini. Je compris vite qu'il tenait à ma seule présence. Par ma familiarité avec le « ministre », je brisai le blocus que son directeur de cabinet avait installé. J'entrais et sortais librement de son bureau ; je recrutais pour lui des collaborateurs indépendants qui formèrent bientôt un cabinet bis. Malgré la haine et le mépris qu'un groupuscule d'énarques dirigea contre nous, nous parvînmes à survivre et même à monter quelques opérations couronnées de succès. En cette période où la tentation était grande pour la droite de s'allier au Front national, Malhuret fut le premier, bien avant Michel Noir, Michelle Barzach ou Philippe Séguin, à se dresser contre cette alliance. Il sut également porter des coups à Pasqua quand celui-ci dépassa les bornes acceptables.

Ce fut pour moi une époque passionnante, pendant laquelle je pris contact pour la première fois, fût-ce de façon subalterne, avec l'univers du pouvoir, les hautes sphères de l'État, les circuits de la décision publique. J'y glanai une nouvelle série de décors et de portraits qui me seraient très utiles dans ma vie future de romancier.

C'était une période excitante intellectuellement mais beaucoup plus calme au quotidien que je ne l'avais supposé. Du fait de sa position modeste dans le gouvernement et de son absence de responsabilités, le secrétaire d'État dont j'étais le conseiller passait le plus clair de son temps à ne rien faire. Il était surtout occupé, et moi avec, à se demander à quoi il pourrait bien consacrer son énergie. Je me souviens ainsi d'un long printemps pendant lequel nous regardions fleurir, dans la cour de l'annexe de Matignon où nous étions installés, un cerisier du Japon qui faisait éclore d'énormes pompons roses. Les pieds posés sur le rebord de la fenêtre, un verre à la main, nous contemplions les belles fleurs et les écoutions pousser, échangeant de temps en temps un grognement, parfois une idée, plus souvent un bâillement. On se serait volontiers cru dans un roman de Faulkner, au cœur du grand Sud américain, plutôt que dans les parages trépidants du pouvoir, rue de Varenne, à Paris...

Quand il fut clair que l'expérience touchait à sa fin et que le gouvernement allait changer, j'obtins de prolonger l'aventure. J'avais depuis longtemps envie de connaître la coopération du côté public et non pas seulement par le biais des ONG. Je postulai pour un emploi de conseiller culturel et de coopération. On m'offrit le poste de Nairobi, qui me convenait parfaitement.

Pendant cette période, mollement occupé à arpenter les allées du pouvoir, j'avais un peu oublié que j'étais médecin. La vie vint me le rappeler d'une façon assez désagréable. L'ambassadeur de France au Kenya, informé de ma nomination pour diriger son service de coopération, s'opposa catégoriquement à cette décision. J'aurais été historien, géographe, juriste, peut-être même garagiste ou footballeur, mon arrivée n'aurait pas suscité de remous. Mais j'étais médecin et il ne pouvait le supporter. Il prit la peine de se déplacer jusqu'à Paris pour me signifier son opposition. L'homme était antipathique et je préférais me dire que son refus était une chance : il m'avait épargné le désagrément de devoir supporter sa déplaisante personne pendant trois années. J'en ressentis pourtant une vive amertume. Ce fut une nouvelle occasion de me convaincre que ma formation n'était en rien comparable aux autres. On accepte d'un polytechnicien qu'il dirige une grande entreprise, d'un économiste qu'il intervienne à tout propos dans l'actualité, pour ne rien dire de la faculté qu'ont les chanteurs à la mode de rendre des oracles télévisés sur les sujets les plus profonds. Un médecin, lui, est fait pour soigner. Qu'il s'éloigne de cette fonction, on le regarde avec reproche. Le vague soupçon qu'il se rende coupable de non-assistance à personne en danger flotte sur les relations qu'il noue en dehors de son strict milieu professionnel. Après Sciences-Po, j'avais eu l'idée saugrenue de me présenter au concours de l'ENA. Ce fut pour m'entendre dire finement par le président du jury que je confondais sans doute ENA avec internat. Chaque fois que, dans ma vie, j'ai rencontré ce mépris, il m'a conforté dans ma volonté de défendre la formation médicale, de démontrer par l'exemple qu'elle reste une des grandes propédeutiques humanistes, qu'elle prépare, mieux que beaucoup de voies considérées comme royales, à jouer un rôle dans la cité et la vie intellectuelle.

Quoi qu'il en soit, refoulé du Kenya, il me fallait retomber sur mes pieds. J'avais tout organisé pour partir à l'étranger. Aucune solution de rechange n'était envisageable rapidement. Je dus me résoudre à accepter les lots de consolation que me proposa, navré, Pierre-Jean Rémy, alors responsable au Quai d'Orsay des questions de coopération. Tout le monde avait choisi son affectation. Seuls restaient trois postes : Khartoum, Port Moresby et Recife.

Je connaissais le Soudan et n'avais aucune envie d'y retourner longtemps. À propos de Port Moresby, capitale de la Papouasie-Nouvelle-Guinée, je menai une brève enquête. Il s'avéra qu'en raison de la faible appétence des populations locales pour les langues étrangères, il était recommandé de posséder une relative maîtrise du papou. De surcroît, le responsable de la zone au ministère des Affaires étrangères insistait sur le fait que les habitants de cette île étaient, à l'époque, passablement irrités contre les Français à cause des essais nucléaires sous-marins dans le Pacifique. Le samedi soir, il leur arrivait souvent, à titre de divertissement, de s'emparer d'un Français et de le rosser. En conséquence, il était vivement conseillé à tout candidat au départ de posséder un niveau satisfaisant dans un sport de combat.

Aussi faible en karaté qu'ignorant de la langue papoue, je jugeai prudent de renoncer à cette destination. Restait Recife. Ce nom n'évoquait rien d'autre pour moi que l'image de Don Hélder Câmara, l'évêque des favelas. Internet n'existait pas (je me réfère ici à des temps préhistoriques…). Je n'avais donc pas la ressource d'obtenir facilement des renseignements sur Recife. On me pressait de choisir sans délai. Pierre-Jean Rémy avait beaucoup insisté sur la modestie de ce poste ; il le jugeait très inférieur à ce qui devait m'être proposé, compte tenu, selon lui, de ma qualification. Mais si j'ai toujours placé la médecine très haut dans l'ordre intellectuel, je n'ai jamais considéré qu'elle donne droit à une position privilégiée. La grandeur du médecin est au contraire de pouvoir tutoyer les dieux, discuter avec quiconque des grands sujets de la vie, traiter en égal les princes ou les artistes, mais aussi s'abaisser jusqu'aux tâches les plus humbles, relever le vieillard qui tombe, mettre sa main sur les plaies, contempler ces immenses faiblesses que

223

sont les souffrances et les convulsions de la mort. En sorte que l'idée très administrative de « niveau » m'est étrangère. Que Recife ne fût pas « de mon niveau » m'importait peu, dès lors que j'avais envie de m'y rendre. Or cette envie, sans raison, m'était venue puissamment. J'avais procédé par analogies et références littéraires : Jorge Amado m'avait fait découvrir Salvador de Bahia, Recife en était proche. J'aimais la littérature sud-américaine, très à la mode à l'époque et qui avait apporté son sang neuf à la création romanesque du monde entier. Le poste qu'on me proposait était un départ vers ce monde, une porte, fût-elle dérobée, pour m'introduire dans cette citadelle.

Quinze jours plus tard, je débarquai à l'aéroport de Recife. L'air humide et chaud de la nuit me saisit. Il y flottait des odeurs de kérosène et de canne à sucre. Ce fut, après l'Éthiopie, le deuxième grand choc culturel de ma vie. Cependant, à la différence de l'Afrique de l'Est, qui m'avait immédiatement séduit, le Brésil commença par me déplaire, au point que pendant les premières semaines de mon séjour je n'eus qu'une idée en tête : repartir. Chacun sait que ce type d'aversion est une des modalités de l'amour. La suite devait le confirmer.

20

Les villes sud-américaines de la côte sont très étendues. Pauvres et riches s'y livrent une course-poursuite qui les condamne, pourtant, à vivre toujours ensemble.

Dans les quartiers historiques, qui constituent le centre des villes, les maisons bourgeoises gardent le souvenir de l'époque où elles servaient de demeures aux colons, aux commerçants, à toute une élite d'inspiration européenne. Mais ces centres-villes vieillissent mal. Les riches les ont désertés pour aller s'installer plus loin, le long des plages vierges. Les pauvres les ont immédiatement suivis ; ils ont construit leurs favelas au voisinage de ces nouvelles résidences d'élite. Alors les riches se sont enfuis encore plus loin et les pauvres, de nouveau, les ont rattrapés. D'ailleurs, ils seraient bien embarrassés si les pauvres ne les suivaient pas dans leur transhumance, car ils ont un immense besoin de gardiens de nuit, de bonnes, de jardiniers, et comme ils ne sont pas disposés à les payer convenablement, ils doivent se résoudre à tolérer leur misère à côté d'eux.

Recife ne fait pas exception à cette règle. À l'époque où j'y travaillais (terme un peu fort, dans ce cas précis), le consulat général de France, témoin du passé glorieux du centre-ville, était situé dans un quartier historique devenu au fil du temps une zone de petits commerces, de misère et de prostitution. Je ne trouvai à me loger qu'à l'autre extrémité de la ville, en haut d'un immeuble neuf situé au milieu des nouveaux quartiers bâtis sur le littoral. Chaque matin, il me fallait rouler trente kilomètres le long des buildings du front de mer pour gagner mon bureau. Seul privilège de ma modeste fonction, j'étais transporté dans une voiture du consulat conduite par un chauffeur. Las, le véhicule en question était une vieille 304 break cabossée. Ses fauteuils étaient défoncés, et elle était mensongèrement équipée de boutons qui pouvaient laisser croire à tort qu'elle avait été dotée un jour d'une climatisation. L'allume-cigare avait été jeté par la fenêtre par mon prédécesseur pendant qu'il roulait à pleine vitesse sur l'autoroute menant à l'aéroport. Apparemment, il l'avait confondu avec une allumette. On peut se douter qu'il ne fumait pas seulement des Gitanes (le Quai d'Orsay l'a d'ailleurs muté par la suite à Katmandou).

Ce prestigieux équipage était rehaussé par un chauffeur totalement édenté. Il était affublé du nom pittoresque de « Zizi », peut-être parce que ses dents manquantes ajoutaient ces deux syllabes à tous les mots. Il s'opposait catégoriquement à ce que je prenne place ailleurs qu'à l'arrière. Au volant de magnifiques 4 x 4 flambant neufs, des Brésiliens goguenards me regardaient de haut aux feux rouges. Assis dignement dans ma guimbarde officielle, je prenais un air pénétré et vaguement mécontent. Suant dans mon costume-cravate, je contemplais les filles à la peau dorée qui, dès le matin, commençaient de garnir les plages ensoleillées. J'arrivais au bureau totalement envahi par l'envie de ne rien faire.

C'était heureusement ce que l'on attendait de moi. Mon poste extrêmement modeste était dépourvu de moyens. Une fois visités les neuf États du Nordeste qui constituaient ma paroisse, mon budget était épuisé. Quant aux grands événements tels que le carnaval, ils requéraient, certes, la présence de la France, mais à un niveau moins subalterne que le mien. C'était au consul général lui-même, fonctionnaire sérieux et zélé, que revenait l'honneur de présider, au nom de la République et ceint d'une écharpe tricolore, le concours du plus beau travesti…

Le Brésil me donna l'occasion de goûter pour la première fois une oisiveté totale. Je m'adaptais rapidement à ses mœurs alanguies. Un petit bar, sur la plage, devant chez moi, était tenu par un bonhomme minuscule, tout en muscles secs, qui portait le nom illustre de Périclès. Je passais de longues heures, chaque jour, assis sur une chaise en contreplaqué posée à même le sable, buvant la bière que Périclès servait sur de grands plateaux qu'il portait sur son épaule. Il faisait doux. Un joueur de guitare commençait à gratter son instrument vers trois heures de l'après-midi. La vie avait rompu mes attaches avant mon départ. J'étais célibataire. De jolies filles s'offraient à m'enseigner leur langue, que j'appris vite. À quelques mètres, une mer sans humeurs, pacifiée par la barrière de coraux, déposait son écume sur un sable tiède que le soleil séchait aussitôt. Je lisais, je rêvais, j'oubliais pour la première fois la médecine. Il me semblait renaître. Un siècle d'or commençait pour moi, chez Périclès.

Je me procurai un ordinateur, instrument encore cher et fragile, surtout dans sa version brésilienne. Le mien était sensible à tout : aux orages, heureusement rares, aux sautes de courant, très fréquentes, aux rudesses de la femme de ménage. J'ai perdu de nombreuses pages à cause de cet outil. C'est à lui que je dois jusqu'à aujourd'hui d'écrire mes livres à la main.

Mais le Brésil était l'occasion des expériences et des nouveautés. Je m'essayai à l'ordinateur et, dans le même temps, à une nouvelle forme littéraire. Pour la première fois, j'osai m'approcher de la forme suprême, celle qui attire et terrifie. Je m'attelai à un roman.

Le livre s'intitulait « Le favori de Chopin ». C'était un jeu de mots tiré d'une lettre du musicien à ses parents, lorsqu'il était à Vienne. Il leur racontait qu'il s'était laissé pousser un favori et un seul. Pendant les concerts qu'il donnait chaque soir, il était toujours de profil et le public ne voyait jamais qu'un côté de lui…

Construire un roman sur un titre est toujours très périlleux. Dans ce cas, l'initiative se révéla calamiteuse. Le résultat fut un livre mal construit, alourdi de dissertations, très inégal dans ses deux parties. La seconde, écrite alors que le Brésil avait déjà commencé de faire entrer en moi sa torpeur nonchalante, était complètement ratée. Mais les premières pages portaient encore la trace du bonheur que j'avais ressenti en me lançant dans cet exercice tant différé. Quand j'adressai le livre par la poste à quelques éditeurs, j'obtins à peu près partout la même réponse, seul le degré de consternation variait. Tous me disaient en substance : « Bon début,

mais ça se gâte très vite et l'ensemble est impubliable. »
Ce verdict, parfaitement exact, ne laissait pas d'être
troublant. Il avait toutes les caractéristiques du fameux
« double lien » qui fabrique les schizophrènes. « Votre
bouquin est nul, me disait-on. Mais vous êtes capable
d'écrire de belles pages. » En d'autres termes : « C'est
bien et c'est mal. Vous pouvez et vous ne pouvez pas. »
Un éditeur me dit au téléphone : « Quand j'ai lu le
début pendant mes vacances, j'ai cherché partout un
moyen de vous contacter pour vous envoyer un contrat.
Et puis j'ai découvert la suite... » Il conclut, avec une
méchanceté dont il n'avait sans doute pas pris la
mesure : « Vous aurez au moins la satisfaction d'avoir
écrit trente belles pages dans votre vie. »

D'autres furent moins cruels, mais ne firent qu'ajouter à ma perplexité. Jean-Marie Laclavetine, chez Gallimard, qui m'a par la suite toujours soutenu, m'invita à
venir le voir lors d'un de mes passages à Paris. « Vous
devez continuer, me dit-il. — Reprendre le livre ?
hasardai-je. — C'est impossible, il n'y a rien à en tirer.
Dans quelques années, peut-être. »

Je rentrai au Brésil renforcé dans la conviction que
mon envie d'écrire de la fiction n'était pas totalement
infondée. Mais je n'avais pas la moindre idée de la direction à prendre pour permettre à cette semence de
germer.

Ce fut alors que je pris conscience du rôle fécondant
des saisons. Il me fallait un hiver pour enfouir ces idées,
retourner mon esprit comme une terre labourée,
étendre la paix de la pluie et du gel sur les herbes folles
de mes pensées. Ensuite viendraient de nouvelles pousses
et peut-être l'espoir d'une récolte.

Depuis que j'étais au Brésil, j'attendais l'hiver. Chaque jour, en ouvrant mes rideaux, je découvrais le même horizon calme de la mer, des lointains couleur d'émeraude, un ciel d'aquarelle. Et toujours la chaleur moite, la plage, tous les signes extérieurs d'un perpétuel été. Un matin, cependant, ma femme de ménage arriva, la mine grise, un méchant pull-over en mailles lâches sur les épaules. « Vous avez vu, me dit-elle. C'est l'hiver ! » Je me précipitai sur le balcon. L'air était toujours chaud et moite. Mais un vent inhabituel charriait une humidité végétale, venue des terres. Il faisait 28° au lieu des 33 habituels. Un ou deux nuages dodus au ventre noir étendaient leur menace — ou leur promesse — sur la mer et dessinaient à sa surface des ombres indigo. Les arbres avaient toujours leurs feuilles, mais parfois, sous l'effet du vent, l'une d'elles, grosse et plate comme une assiette vernie, tombait verticalement sur les tables de Périclès. Tel était donc l'hiver à Recife. Je m'étais laissé abuser par les mots. Qu'y avait-il de commun entre ce printemps orageux et les hivers de mon enfance dans la Champagne berrichonne ? Où étaient les aubes tardives et mornes, les après-midi anémiques qui finissaient leur course à cinq heures, les corbeaux noirs posés sur les lignes de terre et d'ombre des labours ?

Je comprenais mieux d'où pouvaient venir les accents nostalgiques et douloureux des mélodies que les immigrants avaient apportées d'Europe et qui avaient formé la base des musiques du carnaval brésilien.

Chaque vendredi, pendant cette parodie d'hiver, deux vieilles dames très blanches de peau marchaient jusqu'à une église d'Olinda, à la tombée de la nuit. Elles sortaient leurs violons des étuis fatigués dans lesquels elles les avaient transportés et commençaient de jouer, en marchant, de vieilles ritournelles d'Europe. Dans les rues étroites d'Olinda, la ville coloniale portugaise, encombrée de cloîtres baroques et de façades peintes, d'autres musiciens sortaient des maisons au passage des deux violonistes. Avec leur guitare, leur harmonica, leur accordéon, ils se joignaient à la sérénade. Tous les thèmes qui constituent le carnaval moderne et sont aujourd'hui répercutés, en torrent de décibels, au moyen de saxophones et de trompettes, sont présents dans la *seresta* du vendredi soir, à Olinda, mais sur un mode adouci, chuchoté, sentimental. Le lamento de cette musique est une des émotions les plus vives dont je garde le souvenir. Grâce à elle, je comprenais ce que pleuraient les émigrants : c'était tout simplement l'hiver de leur continent natal.

Mais moi, je n'avais pas l'intention de m'en priver. Dès que je compris à quel point j'en avais besoin, je ne perdis plus de temps. Je renonçai à mon poste au consulat. Il ne manquait pas de volontaires pour me remplacer. Je rentrai en France sans projet, sans travail, sans ressources, mais avec la conviction que tout me serait rendu par la grâce de l'hiver tant désiré. Il m'accueillit avec la rigueur que j'espérais et me rendit pour quelques semaines le fécond désespoir qui m'avait si cruellement manqué à l'Équateur.

De retour en France, je commençai par rédiger en quelques jours un livre tiré d'un souvenir brésilien. Il ne serait publié que quinze ans plus tard, sous le titre de *La salamandre*. Sur le moment, il ne m'apporta aucune satisfaction. Je sentais que je n'étais pas fait pour l'évocation de ces impressions « à chaud ». Il me semblait que l'inspiration romanesque devait venir de plus loin et de plus profond. Un épisode m'avait marqué et, depuis dix ans, ne cessait de me poursuivre : c'était celui de mon séjour à Asmara, la capitale de l'Érythrée, et de la découverte des « ensablés », ces vieux Italiens arrivés là avec les armées de Mussolini. Ils nous observaient en silence, nous les petits humanitaires pieds-nickelés qui nous agitions autour d'une invisible famine. Je percevais là un sujet. Pendant des mois, je le tournai dans tous les sens : récit à la première personne, narration impersonnelle, construction polyphonique. Chaque fois, j'étais déçu, bloqué, incapable de faire émerger une œuvre. Chaque fois, comme le dit mon ami Thomas Harris, le merveilleux auteur du *Silence des Agneaux*, le projet « mourait entre mes bras ». Comme souvent pour un premier roman, car ce fut bel et bien mon véritable premier roman, je le brûlais à la flamme de toutes les œuvres que j'admirais. Je le soumis à l'épreuve de Paul Morand et tâchai d'en faire un vague cousin de *Hécate et ses chiens*. Je le chauffai au soleil de Giono et entrepris de donner au jeune héros des airs d'Angelo. Le résultat était pitoyable. Je m'approchai de Philip Roth et me lançai dans une narration digressive, pleine de flash-backs et d'incises. Il en naquit un monstre bavard, niais et rigoureusement impossible à suivre.

L'hiver passait. J'étais menacé à mon tour de famine mais sans pouvoir espérer que quiconque lancerait une opération humanitaire pour me secourir. Mon seul salut était de revenir à la médecine, mais comment ? Hospitalier pur, je n'avais exercé « en ville » que dans deux circonstances : un lointain remplacement de médecin de campagne et des séjours réguliers à Belfort quand la (seule) neurologue de la région prenait des vacances. Cette dernière expérience me vaut d'ailleurs d'avoir conservé de cette belle ville une idée assez particulière. La clientèle de ma consœur était essentiellement constituée d'épileptiques. Entre le moment où je descendais du train pour commencer le remplacement et celui où, huit jours plus tard, je rembarquais pour Paris, je n'avais adressé la parole à personne sinon à des épileptiques. La région tout entière semblait n'être peuplée que de gens victimes de pertes de connaissance et de crises comitiales. Je n'aurais pas été étonné de voir le garçon de café, le policier en faction à un carrefour ou le facteur pendant sa tournée s'abattre par terre et se mettre à s'agiter, tant il m'apparaissait que cette ville s'était fait, comme Cambrai de ses bêtises ou Montélimar de ses nougats, une spécialité de ses convulsionnaires...

En tout cas, les expériences n'avaient pas suscité en moi l'envie de suivre une carrière de médecine libérale. À l'hôpital, la sélection préalable des patients ne donne plus à traiter que des maladies véritables. Le quotidien du médecin de ville est fait de malaises et de plaintes dont l'origine est moins claire. Les souffrances qu'il soulage sont bien réelles et parfois intenses. Mais elles se rattachent plus à l'angoisse, à la frustration, aux conflits familiaux, au désespoir, à l'échec professionnel, aux carences affectives, qu'à ces grands drames souterrains, au scénario immuable et au dénouement attendu, que l'on appelle cancer, artériosclérose ou Alzheimer. Le métier que j'avais appris était celui qui s'adressait à ces maladies lourdes. On m'avait programmé pour être le dompteur de ces fauves. Je me serais senti très malheureux de m'occuper de ces petits félins capricieux que sont les incommodités domestiques, ces petits maux de compagnie qui comblent l'ennui quotidien et donnent, parce que l'on souffre un peu, l'impression rassurante de vivre encore.

Or, en France, à l'époque du moins, la porte de l'hôpital, longue à ouvrir, se refermait brutalement derrière ceux qui avaient eu l'ingratitude de s'en éloigner. Je ne retrouvai pas de poste. C'était l'impasse.

Pour fuir cette réalité déconcertante, je continuai à écrire. Mais, par pragmatisme, je revins à une forme plus familière pour moi, celle de l'essai.

Le mur de Berlin venait de tomber. Je rentrais d'un pays du Sud — le Brésil. Il me paraissait évident, vu de là-bas, que le nouveau paradigme n'allait plus être l'Est-Ouest mais le Nord-Sud. Et il était tout aussi certain que cette opposition n'obéirait pas aux mêmes règles que celles de la guerre froide. Parler de confrontation Nord-Sud, c'était examiner les relations entre un ensemble de pays (le Nord) qui possédait toutes les richesses, toute la puissance, qui édictait tous les codes et, de l'autre côté, le « reste du monde », un assemblage hétéroclite de nations (le Sud) soumises à des fortunes diverses, mais unies par une commune incapacité à entrer dans le « premier » monde développé.

La meilleure comparaison, pour comprendre une telle situation, me semblait être Rome après la chute de Carthage. Jusque-là, l'Empire romain avait eu devant lui des ennemis de taille et de force comparables (comme nous avec l'URSS). Puis, avec le retrait de Carthage, Rome s'était retrouvée seule. Devant elle, le « reste du monde », une poussière de peuples situés de l'autre côté d'un *limes*. Pendant près de mille ans, cette opposition

234

entre l'Empire et les barbares sera la clef de l'Histoire du monde.

J'ai écrit *L'Empire et les nouveaux barbares* dans cet esprit : faire un tour d'horizon des nouvelles relations entre riches et pauvres. Surtout, donner à voir les tensions futures, les oppositions à venir et, au premier rang, la confrontation démographique entre un empire (le Nord) où la population est constante voire en régression et un Sud où elle reste en forte augmentation et avec des intentions migratoires de plus en plus généralisées.

Avec ce livre, je reproduisis exactement le scénario qui avait été celui du *Piège humanitaire*. L'échec commercial de la première version du livre fut sans appel. Mais, peu à peu, notamment en édition de poche, il commença une carrière souterraine. Recommandé par nombre d'enseignants, il devint objet d'études et de commentaires, tout particulièrement à Sciences-Po. Officiellement, par la voix de quelques mandarins autorisés, l'institution afficha le plus grand mépris à propos d'une œuvre indigne de ses hauts principes scientifiques. Mais, dans l'arrière-cuisine, ce livre devint un fond de sauce quasi obligatoire pour tout exposé sur le monde de l'après guerre froide. De nombreuses traductions étrangères me valurent de rencontrer aussi bien Heiner Müller et la gauche allemande radicale que les responsables de la diplomatie turque. Au Brésil, le président de la République me convoqua pour un entretien et accepta de faire la préface à l'édition du livre en portugais. C'était malheureusement le baiser qui tue, car, peu après, il fut destitué pour faits de corruption. Je

devais longtemps pâtir de mon association — bien invo-
lontaire — avec un homme déshonoré.

Reste que, pour tous ceux qui rejetaient l'optimisme
niais d'un Fukuyama, qui craignaient l'avènement durable
d'une nouvelle fracture entre deux côtés du monde,
nord et sud, qui voyaient s'installer de nouvelles relations de puissance et advenir des conflits inédits entre
faibles et forts, ce livre ouvrait des voies de réflexion
nouvelles.

Comme avec *Le piège humanitaire,* la conséquence inattendue de cette publication fut qu'elle me ramena vers
l'action. L'attention que ce livre avait portée sur moi dans
les milieux intellectuels entraîna indirectement mon
retour à Médecins sans frontières. Le conseil d'administration de l'association s'était peu à peu assoupi. La
croissance de l'institution avait eu pour résultat la mise
sur pied de processus de décisions technocratiques et
bureaucratiques. Rony Brauman, totalement maître de
cet outil, fut saisi par quelques nostalgies soixante-hui-
tardes et décida d'ouvrir son bureau à quelques tru-
blions d'autant plus libres d'agiter leurs grelots et de
faire des cabrioles que les règles de fonctionnement leur
retiraient tout pouvoir effectif. Il me proposa de tenir ce
rôle.

Après dix ans d'absence, je n'avais au fond jamais
cessé de considérer Médecins sans frontières comme ma
famille. J'acceptai volontiers d'y revenir, sans me faire
trop d'illusions sur la marge de manœuvre dont je dis-
poserais. L'organisation avait bien plus changé que je ne
l'imaginais. Elle avait acquis un immeuble entier à la
Bastille. Les bureaux vitrés, ouverts sur un grand espace
central, donnaient l'impression d'évoluer dans l'univers

de *Playtime*. Le jean et le tutoiement étaient, sous couvert de familiarité et de décontraction, les pièces d'un uniforme auquel nul n'aurait osé se soustraire.

Je fus élu au cours d'une assemblée générale tenue cette année-là au Cirque d'Hiver. Un grand chef d'entreprise qui se présentait en même temps que moi pour remplir — bénévolement — la fonction de trésorier fut blackboulé honteusement par les adhérents. Il avait osé parler d'« entreprise » à propos de l'association et ce crime avait été puni comme il convenait. Juste avant moi, un jeune logisticien de retour du terrain obtint son élection haut la main en promettant que les missions, grâce à lui, ne manqueraient jamais de papier toilette...

J'arrivai enfin sur la scène, asphyxié par une odeur de litière d'éléphants, aveuglé par les projecteurs, distinguant à peine dans l'obscurité les fauves vociférants qui constituaient le public. Mon discours bafouillé dut paraître assez médiocre pour autoriser mon élection — de justesse. J'étais heureux.

Le faible intérêt des conseils d'administration fut compensé pour moi par la possibilité — étroitement encadrée — qui était donnée aux administrateurs de s'impliquer dans les missions. Sri Lanka, Mozambique, Zambie, Irak, je multipliai les interventions dites, dans le jargon international de l'humanitaire, de *trouble-shooting*. Je devins une sorte de joker utilisable par la direction de Médecins sans frontières pour régler des questions délicates. Ainsi, au lendemain de la première guerre du Golfe, on m'envoya dans les zones kurdes d'Irak afin de replier nos équipes de Bagdad sur le nord du pays et de transformer une mission jusque-là légale en mission clandestine — car Saddam Hussein ne voulait plus de nous…

Je me consacrai presque entièrement à ces actions bénévoles, vivant — mal — des leçons que je donnais ici ou là et des maigres à-valoir de mes *worst*-sellers. Du coup, je montai en grade et, à l'assemblée générale suivante, devins vice-président de l'association. Ce titre était absolument creux, mais il laissait croire — à tort — que j'étais le numéro deux de la maison. Quand Rony Brauman annonça qu'il allait partir, on me regarda comme son possible successeur. De vives pressions ne tardèrent pas à se déchaîner. Pour l'« appareil », je n'étais pas un homme du sérail et il n'était pas envisageable de me confier des responsabilités véritables. Un climat délétère s'installa. Ces manœuvres et rumeurs me paraissaient d'autant plus vaines que j'avais compris très vite que Rony Brauman n'avait en réalité aucune intention de s'en aller. Il voulait prendre du champ, disposer de temps pour ses travaux personnels tout en continuant de contrôler l'organisation. Il lui fallait un homme docile et si possible transparent, efficace au quotidien mais ne menaçant pas le rôle de statue du commandeur qu'il comptait s'attribuer — et qu'il occupe encore aujourd'hui. Je peux jouer bien des rôles, mais celui de potiche ne m'a jamais particulièrement convenu.

Une proposition survint alors, qui me permit de sortir de ce marécage en adressant un pied de nez aux grenouilles qui y pataugeaient. Renaud Donnedieu de Vabres, que j'avais connu durant mon passage chez Claude Malhuret, assurait dans le nouveau gouvernement les fonctions de directeur de cabinet du ministre de la Défense. Il me proposa d'entrer dans son équipe pour m'occuper des aspects humanitaires liés à la Défense et, tout spécialement, des opérations de maintien de la paix.

Pour les chaisières des ONG, il n'y avait alors pas de pire blasphème que d'associer les mots « armée » et « humanitaire ». Quitter Médecins sans frontières, temple dédié au culte de la virginité caritative, pour entrer au service doublement odieux d'un gouvernement — de droite qui plus est — et de son armée — instrument sanguinaire de la raison d'État — était commettre plus qu'une trahison ; j'assassinais un idéal.

Je fus bien heureux de faire frissonner les échines de gens qui n'auraient eu aucun état d'âme à briser la mienne.

Les deux années que je vécus à la Défense furent passionnantes. Loin de trahir qui que ce fût, je m'employai, avec d'autres, à rapprocher humanitaires et militaires tout en affirmant haut et fort que leurs tâches sont distinctes et que leurs mandats ne sauraient être confondus.

Je découvris d'ailleurs rapidement que la méfiance était partagée. Si les humanitaires voyaient dans les militaires le diable et le danger, ceux-ci n'étaient pas exempts de préjugés à l'égard des ONG. Pour certains d'entre eux, notamment ceux qui s'occupaient d'affaires africaines, les humanitaires étaient des gauchistes chevelus, fouineurs, incontrôlables, bref des empêcheurs de faire la guerre en rond. Quand j'arrivai au Cabinet, dans ce sanctuaire des armées qu'est leur ministère, rue Saint-Dominique, on déploya à mon endroit une stratégie de neutralisation en douceur. Je fus doté d'un beau bureau avec cheminée, lustre à pampilles et même un superbe tableau représentant le défilé des troupes sous l'Arc de triomphe en 1918. En appuyant sur un bouton, j'obtenais *ad libitum* café, collation, journal. Mais de dossiers, point. Une cellule militaire tenue par un médecin principal traitait les affaires humanitaires. Quant aux questions politiques, notamment en Afrique, elles étaient le domaine réservé du conseiller diplomatique.

C'est de cette époque que date, pour certains de mes amis, ma réputation d'organisateur et de bourreau de travail. Ceux qui venaient me visiter s'émerveillaient, malgré les preuves de mes hautes responsabilités — le planton, la moquette, le lustre ... —, de ne jamais voir un seul papier sur mon bureau. Ils supposaient que j'appartenais à cette catégorie de virtuoses administratifs capables de traiter en temps réel toutes les affaires soumises à leur attention. La vérité était plus simple : si nul dossier ne traînait, c'était que l'on ne m'en confiait aucun. L'inspiration du ministre qui avait motivé mon engagement n'avait pas tenu compte des anticorps que sécrète une organisation telle que l'armée à l'égard des éléments étrangers qu'on y injecte.

Malgré tout, je tâchai, mollement, de m'intégrer. Je nouai des relations sincèrement amicales avec de nombreux officiers du Cabinet. Je m'infiltrai dans quelques réunions dont je parvenais à avoir connaissance à temps. Finalement, ma déréliction parvint à émouvoir. On me confia une mission.

Elle était modeste et avait pour effet, sinon pour but, de m'éloigner de la rue Saint-Dominique. En vertu du principe selon lequel, quand on n'a rien à faire quelque part, il est préférable d'aller le faire ailleurs, je transportai mon oisiveté sur un autre terrain. Ce mouvement, à lui seul, était pour moi un soulagement. Quant aux autres, ils pouvaient y voir un témoignage sinon de mon importance, au moins de mon utilité. Je partis pour Sarajevo.

La ville subissait alors un siège serré. Elle était encerclée et bombardée sans relâche. La population survivait grâce à un pont aérien international qui déposait des vivres et des médicaments. Ma mission consistait précisément à aller voir sur place comment ces secours étaient acheminés. Des rapports secrets laissaient entendre qu'entre les quantités d'aide apportées et celles qui parvenaient effectivement à la population se creusait un énorme écart, signe de détournements probables.

On me fit renifler ce chiffon et je me lançai sur la piste.

En réalité, sur place, je trouvai la même méfiance que rue Saint-Dominique, décuplée par la situation de guerre. Les militaires qui, à Paris, passaient leur chemin dans les couloirs en me saluant distraitement n'hésitaient pas à me bousculer à Sarajevo et à grogner que j'encombrais le passage. Le PTT-building, quartier général de la Forpronu dans la ville, était une ruche où des abeilles vêtues de vert s'agitaient au service d'une reine toute-puissante qui était en vérité un roi : le commandant en chef.

C'était à l'époque le général Soubirou. Il avait un frère colonel qui servait à son état-major. Pour les distinguer, tout le monde appelait le colonel Soubirou et le général Surbirou.

L'échange avec eux fut excellent, mais il était évident que ni l'un ni l'autre ne comprenait ce que venait faire dans cette galère un membre — civil de surcroît — du Cabinet. Ils furent encore plus étonnés de voir que je n'étais pas pressé de rentrer à Paris et, après m'avoir consacré les quelques heures de visite réglementaires, finirent par m'oublier. Mon intention était de m'installer dans le PTT-building et d'y rester suffisamment pour sentir les lieux, prendre des contacts dans la ville, bref remplir ma mission.

Une des forces de la médecine est de constituer une véritable fraternité internationale, une franc-maçonnerie naturelle. Elle permet de découvrir partout des gens qui parlent le même langage, comprennent les mêmes signes et se sentent proches au point de ne jamais refuser de s'entraider.

Dans le maelström de ce quartier général en guerre, je rencontrai la Providence sous les traits d'un géant barbu : le médecin-chef du secteur. Il parlait doucement, avec une voix rauque, car le moindre éclat de sa grosse voix faisait vibrer les vitres et attirait tous les regards. Ce Porthos était connu de toute la ville. Il circulait en zone bosniaque comme en zone serbe, distribuait des bourrades et des médicaments, traitait les corps avec ses ordonnances et les esprits en racontant des histoires de cul.

En quelques secondes, nous nous reconnûmes comme médecins ; en quelques heures nous nous déclarâmes amis. Tutoiement, familiarité, offre acceptée de dormir dans son bureau sur un lit de camp à moitié effondré, le cabinet du ministre était oublié et avec lui la hiérarchie, la préséance et les manières. J'étais chez moi au PTT-building. Même Surbirou n'avait rien à y redire.

Cette amitié changea tout. Le docteur Fabre, surnommé affectueusement Loumic, me révéla tous les secrets de la zone où il circulait librement. Je nouai des relations avec d'autres officiers qui, jusqu'à aujourd'hui, sont restés des amis — Guy de Batista, Grégoire Verdon. Grâce à eux, je rentrai à Paris avec des idées raisonnablement précises sur ce qui se passait dans cette ville. Surtout, par la durée de ma disparition, j'acquis la réputation d'être acclimaté à l'action et de n'avoir pas peur de la guerre. Les militaires, eux, savaient ce qu'il en était. Ils étaient bien conscients que je ne risquais pas grand-chose dans les conditions où je me trouvais. Mais ils savaient aussi que mon principal titre de gloire avait été de forcer la ligne Maginot morale dont s'entoure l'armée malgré elle et d'avoir su me faire accepter par tout ce petit monde en campagne.

De retour à Paris, ma vie au Cabinet changea complètement. J'étais devenu l'homme des missions délicates. Le ministre ayant pris un soir à la télévision l'engagement de ramener en France une petite Bosniaque nommée Zlata, qui avait ému le monde avec son journal — l'« Anne Frank de Sarajevo », disait Bernard Fixot, jamais avare de superlatifs —, je fus chargé d'aller la sortir de la ville avec ses parents. Ce fut un autre mois d'aventures rocambolesques dans l'imbroglio de cette guerre absurde. J'entretenais des relations avec les chefs serbes qui encerclaient la ville et dus faire l'offrande de mon foie sur l'autel de ma mission en absorbant avec eux des quantités déraisonnables de *slivović*...

J'en vins à connaître personnellement tous les protagonistes de cette guerre — des deux côtés — et à me rendre aux invitations qu'ils me faisaient chez eux. Dans la tragédie de ce conflit me revenait le mot de Marcel Achard : « Ce qu'il y a de bien avec les guerres civiles, c'est qu'on peut rentrer dîner à la maison. » Guerre de voisins, guerre de frères, guerre entre gens profondément semblables, j'entrais dans le monde abominable et ridicule de cette tragédie balkanique. Elle faisait écho en chacun de nous car elle procédait d'un sentiment que nous avons tous éprouvé un jour ou l'autre : la haine du prochain, du semblable, forme à peine transposée de la si banale haine de soi. Le Brésil, pendant toute cette époque, me manquait terriblement. Grâce aux Balkans, je compris toute la valeur de la société sud-américaine anthropophage, capable d'absorber l'autre et non pas de le détruire. Le Brésil est un pays cannibale qui se nourrit de tout ce qui entre en lui. Tandis que chaque communauté dans les Balkans souffre d'une anorexie grave qui lui fait vomir tout ce qu'on lui présente, au point d'en mourir d'inanition.

Revenu victorieusement avec Zlata, je repartis en Bosnie pour une autre affaire d'otages. Comme je parvins à les faire libérer, on m'en confia d'autres encore — pour lesquels je n'eus pas le temps de mettre au point une solution. Ensuite on m'envoya au Rwanda. L'opération Turquoise était lancée. Il fallait quelqu'un pour entrer en relation directe avec le nouveau pouvoir, issu du FPR. Je n'avais été mêlé en rien aux conflits des Grands Lacs, mais, par MSF, je disposais de contacts du côté de ceux que l'on appelait jusque-là les « rebelles ». Je partis séance tenante pour rencontrer leur chef, Paul

Kagame. L'entrevue eut lieu alors que Kigali n'était pas tout à fait prise. Des tirs retentissaient encore dans la ville. J'installai une liaison satellite qui permit à l'état-major de Turquoise de communiquer directement avec les nouveaux responsables du pays. Les feux mal éteints de cette guerre nourrissent quinze ans après des polémiques et des anathèmes. Je n'ai pourtant quant à moi rien à cacher ni à regretter. Mon rôle a été bref mais efficace. En contribuant à nouer un contact avec ceux qui avaient été trop longtemps considérés comme des ennemis, je pense avoir fait œuvre utile et même évité quelques confrontations dangereuses...

Il n'y avait toujours aucun papier sur mon bureau. Mais c'est parce que je n'y étais guère. Je n'étais pas non plus souvent chez moi. Dans ce monde d'action et de mouvements, je n'avais plus le temps d'écrire. Et pourtant, plus que jamais, l'ambition romanesque m'habitait.

Un jour, partant en voyage, je fourrai un livre dans mon sac, un peu au petit bonheur. C'était *Les trois mousquetaires*. En le lisant, j'eus l'impression presque hallucinée d'être dans cette histoire, de vivre comme d'Artagnan et ses compagnons, totalement livré à l'amitié, à l'aventure, à la joie de vivre. Les hélicoptères me tenaient lieu de chevaux et le bruit des obus remplaçait le cliquetis des épées. Peu importait. Le bonheur de la liberté était le même. Écrire, vivre. Tout cela n'était-il pas, au fond, la même chose ?

Il me manquait seulement l'occasion de passer de l'un à l'autre, de transmuer le plomb en or.

21

La dissolution de l'Assemblée nationale par Jacques Chirac eut de nombreuses conséquences bien connues. Il en est une qui n'a, évidemment, retenu l'attention de personne et que je suis heureux de révéler ici : elle m'a fourni l'occasion de commencer à écrire des romans...

Emporté par la déroute parlementaire, le gouvernement tomba. Le ministre pour lequel j'avais risqué ma peau me remercia d'une (chaleureuse) poignée de main et, tandis que les fonctionnaires rejoignaient leur corps d'origine, je me retrouvai sans emploi. Je décidai alors de rejoindre, moi aussi, mon corps d'origine, à savoir la médecine. Je mis à profit les derniers mois du Cabinet pour obtenir les sésames nécessaires à ma réintégration comme praticien hospitalier. Je passai le concours de médecin des hôpitaux, sur titres et travaux, et obtins un poste à l'hôpital Saint-Antoine.

Cependant, je ne devais rejoindre cette affectation qu'au bout de six mois. Comme mon contrat à la Défense courait encore pendant ce délai, je me trouvai à la tête d'un véritable trésor : une demi-année de liberté, sans souci d'argent, sans avoir rien à faire.

Ma seule activité — volontaire — fut de reprendre une pratique médicale afin de me préparer aux responsabilités de mon futur poste. Xavier Emmanuelli était alors devenu le très médiatique patron du centre de Nanterre, ancêtre du SAMU social, où étaient conduits par la police tous les sans-abri ramassés dans la capitale. Il me confia une vacation et j'allai ainsi passer un après-midi par semaine à pratiquer la médecine que j'aime : celle qui se fait avec les yeux, les mains, les oreilles et beaucoup d'intuition, car les SDF s'expriment peu et mal sur leur corps. La plupart de leurs plaintes ne correspondent à rien de sérieux, tandis que les vraies maladies, celles qui les rongent et les tuent, sont chez eux particulièrement muettes.

J'avais commencé cette activité alors que j'étais encore pour quelques semaines membre du cabinet du ministre de la Défense. Un chauffeur militaire était à mon service pour mes déplacements. Comme je disposais de peu de temps, j'utilisais cette commodité pour me rendre au fin fond de la ville de Nanterre, alors ravagée par d'immenses travaux de voirie. Cependant, une honte un peu ridicule m'interdisait d'arriver devant ce dispensaire dans le trop noble équipage d'une voiture de fonction et de son conducteur en uniforme. Je me faisais déposer à deux pâtés de maisons de là et finissais le trajet à pied...

Des islamistes avaient transformé un pavillon de banlieue en mosquée sauvage. Chaque fois, je passais devant ses volets peints en vert les mains dans les poches, l'air de rien. Mais je suis sûr qu'ils avaient repéré ma voiture et me prenaient pour un agent de la DGSE vraiment maladroit. Si j'avais continué mon innocent manège plus longtemps, peut-être auraient-ils décidé un jour de me régler mon compte.

Après le changement de gouvernement, je perdis mon bureau rue Saint-Dominique ; en attendant mon poste à l'hôpital, hormis cet après-midi de médecine à Nanterre, j'étais libre. Je me sentais vide, seul, oisif et malheureux. Cet hiver-là, de surcroît, la maladie a frappé non loin de moi, touchant deux personnes très proches.

J'étais dans un complet désarroi. Alors, l'imaginaire est venu à mon secours. Je me suis évadé. Naturellement, presque sans effort. Et j'ai vécu dans une véritable transe l'époque la plus profondément créative de ma vie. Sans voir personne, sans sortir de chez moi, profitant du calme d'un Paris paralysé par les grandes grèves contre la réforme des retraites, je me suis embarqué pour le plus beau des voyages. Celui qui m'a mené au cœur de moi-même, une fois poussée la porte de la remise mentale où, depuis des années, je stockais à l'abri de toute corruption les souvenirs intenses de ma vie. Tous les paysages, tous les portraits, tous les dialogues me sont revenus, intacts, disponibles comme une glaise au modelage par la fiction.

D'abord, j'ai repris le roman maintes fois commencé, qui se passe à Asmara en Éthiopie (aujourd'hui l'Érythrée). Et, tout à coup, dans l'obscurité de ma vie réelle, j'ai vu que s'était faite la lumière sur ma vie imaginaire. Ce récit que je n'avais jamais réussi à construire, je le *voyais*. Le personnage d'Hilarion, vieil Arménien d'Afrique témoin de toute l'histoire, s'imposa naturellement comme narrateur. Je rédigeai à la plume sur trois cahiers Joseph-Gibert le roman tel qu'il est paru sous le

248

titre *Les causes perdues*. Décembre était noir et froid. La France, en grève, était paralysée par les embouteillages. Je n'avais pas de travail, pas de besoins, seulement du temps. Et j'étais heureux. Il ne fallait pas que je quitte l'espace protecteur du rêve.

Mon roman terminé, j'éprouvai le besoin impérieux d'en commencer un autre. Le livre finissait sur une demi-page consacrée à une courte anecdote historique : l'envoi, par Louis XIV, d'une ambassade au Négus d'Abyssinie. Hilarion en tirait une conclusion désabusée quant aux malentendus qu'avaient provoqués, depuis ses débuts, les relations entre l'Europe et l'Afrique.

Dans cette soif d'écrire, j'eus l'idée que cette courte histoire méritait à elle seule tout un récit. Je détachai cette dernière page et en fis la trame d'un autre roman. Je l'achevai en cinq semaines. Il s'appela *L'Abyssin* et me donna un grand bonheur.

Je l'avais, comme l'autre, écrit au stylo et je laissai le tas de feuilles (750 environ) posé sur mon bureau pendant trois mois. Le roman avait rempli son office : il m'avait sauvé la vie pendant une période extrêmement critique. L'hiver était terminé.

Mais le livre, lui, commençait de vivre.

Il y eut d'abord la réaction de la secrétaire qui tapa le manuscrit. Elle avait travaillé sur mes écrits précédents — des essais — et n'avait jamais marqué un enthousiasme particulier. Avec *L'Abyssin*, elle s'animait, donnait son avis, me pressait de lui livrer les chapitres suivants, que j'étais en train de corriger.

Ainsi le bonheur que m'avait procuré ce livre se transmettait. Quand je l'avais écrit, il m'avait tenu chaud, rempli d'émotion, fait rire et pleurer. Tout cela, miraculeusement, « passait ». Conçu comme un traitement à usage personnel, ce livre n'avait d'autre prétention que de m'aider à vivre. Mais son efficace était si puissante qu'elle s'exerçait aussi sur les autres. Ma secrétaire fut la première victime de cette contagion, ensuite vint l'éditeur — je l'avais envoyé à ceux qui m'avaient répondu à propos du « Favori de Chopin ». Puis les attachés de presse, les libraires et surtout le public.

Le livre, à sa parution, ne suscita que peu de commentaires dans la presse. Trop gros, écrit par un inconnu, consacré à un épisode historique, il n'avait rien, en apparence, de ce qui peut faire le succès d'un premier roman. Ma biographie sommaire, envoyée à la presse avec les épreuves du livre, avait dû générer chez les journalistes une certaine mauvaise humeur. Un article de Fabrice Gaignault dans *Elle*, qui contribua beaucoup à attirer l'attention et à amorcer le succès du livre, commençait par un paragraphe un peu méchant sur le thème : « Il y a des gens qui ont tout et, en plus, ils veulent faire des romans. » Celui-ci est médecin, conseiller de ministre, etc. (sous entendu : pourquoi veut-il ajouter un succès littéraire à son tableau de chasse ?). Heureusement, la suite de l'article, très élogieuse, n'était que mieux mise en valeur par ce début un peu rogue. Surtout, ce sont les libraires et les lecteurs — les uns ne vont pas sans les autres — qui firent « décoller » l'ouvrage. Le phénomène miraculeux du « bouche-à-oreille » entraîna les ventes. Ainsi, le livre écrit en silence pour me consoler d'un drame intime devint cet objet public qui se feuillette dans les gares, se distribue en semi-remorque, palpite entre des milliers de mains inconnues, et que l'on appelle un best-seller.

250

C'était d'autant plus inattendu pour moi que les temps de l'édition sont lents : quand le livre parut, beaucoup de choses avaient changé. J'avais repris un poste à l'hôpital.

Chaque matin, j'enfilais ma blouse et je conduisais ma petite troupe d'internes, d'étudiants, d'infirmières à travers les couloirs d'un pavillon de l'hôpital Saint-Antoine. L'âge me donnait désormais les privilèges et les responsabilités d'un chef. Je devais décider, ordonner, accepter ou refuser les demandes qui m'étaient faites. Cette posture influence toujours l'attitude et même l'expression du visage. Finis, les éclats de rire à la d'Artagnan, l'élégant négligé de la vie de Cabinet, les fantaisies de l'aventurier. Il me fallait être grave, péremptoire, convaincant, et je m'y efforçai.

Or voilà qu'au même moment paraissait sous mon nom un livre qui racontait une histoire d'amour, un livre plein de soleil et de sourire, ridiculisant l'autorité et se voulant tout entier un hymne au plaisir et à la liberté. Convaincu au départ que le roman resterait confidentiel, je n'étais pas trop inquiet. Mais à mesure que grandissait son succès, je sentis que je ne pourrais pas le contenir tout à fait hors de ma vie.

Un jour que je terminais l'examen d'un patient, et après avoir laissé sortir devant moi les autres médecins et les infirmières, je m'apprêtais à mon tour à quitter la pièce. Le malade qui reboutonnait son pyjama fit un petit signe pour que je reste. Il arrive souvent que les patients aient quelque chose à demander ou à révéler qui exige la privauté. Cette fois, sa requête était inattendue : il se pencha vers la table de chevet, ouvrit sa porte métallique et en sortit *L'Abyssin*.

« Une petite dédicace, docteur, s'il vous plaît. »

De ce jour, je sus que les vannes avaient lâché. En consultation, je rédigeais une ordonnance et, de la même plume, une dédicace. Le mélange des genres était permanent. Surtout, je sentais — à tort sans doute — dans les regards une ironie bienveillante. Il me semblait que tous mes efforts pour me créer un personnage d'autorité étaient ruinés par l'étalage que j'avais fait dans mon livre de mes naïvetés et de mes enthousiasmes. J'aurais pu passer outre, jeter aux orties mes idées absurdes sur ce qu'il convient d'être ou de ne pas être quand on exerce ces fonctions. À vrai dire, les patients m'acceptaient tel que j'étais et la suite — mon départ — devait me prouver combien ils m'aimaient.

Les choses ne se passèrent pourtant pas ainsi : le succès de *L'Abyssin* me parut être un permanent désaveu de ma vie présente. J'avais envie de quitter la cage où je m'étais enfermé, cet hôpital, ces couloirs sinistres, ces quelques maladies, toujours semblables, au traitement desquelles j'étais préposé. La lumière de *L'Abyssin*, sa chaleur, sa liberté exerçaient sur moi un attrait d'une puissance que je n'aurais pas pu soupçonner. J'étais envahi par un besoin contradictoire : celui de voyager librement comme Alix et Jean-Baptiste, les héros du livre, et celui de m'enfermer pour écrire. En fait, j'avais envie de revivre les moments de douleur complète et de plaisir indicible que j'avais connus entre mes quatre murs, pendant ces semaines de création.

Un jour, j'allai voir *Smoke*, d'après le roman de Paul Auster. Le spectacle de cet écrivain paisible, assis à sa table, à la fois enchaîné et libre, me fit littéralement fondre en larmes. Mon roman était un grand succès.

J'avais conquis un large public, franchi le mur de la première publication, j'avais toutes les raisons d'être heureux. Et pourtant, je pleurais.

Quelques semaines plus tard, je quittai l'hôpital. J'écrivis une simple lettre, mais elle constituait un véritable suicide social puisqu'en quelques mots je renonçais à ce nirvana, à cet idéal bien français : un poste dans la fonction publique.

L'argent que m'avait rapporté *L'Abyssin* — à quoi j'ajoutai le produit de la vente de mon appartement —, je le jetai sur le tapis vert de la vie, en faisant le pari d'écrire d'autres livres. Comme un toxicomane qui donne tout ce qu'il a pour éprouver de nouveau l'extase de son premier voyage, je brisai ma vie dans l'espoir d'y découvrir un bonheur qui n'y était peut-être pas.

Ainsi s'ouvrirent des années extrêmement sombres et belles. Dans la mine où je creusais, je me suis égaré, j'ai suffoqué, espéré, douté. Silencieusement, solitairement, j'ai travaillé. Il m'a fallu dégager les racines du succès de *L'Abyssin*, retrouver la source d'où il avait jailli, comprendre ce que ce cri avait pu signifier pour moi. J'ai d'abord commis l'erreur classique de vouloir donner une suite à un roman qui, pourtant, se suffisait à lui-même. Puis j'ai évolué vers d'autres récits. L'histoire de cette errance n'est pas mon propos aujourd'hui. Le fait est que, livre après livre, j'ai gagné mon pari. Pas seulement parce que j'ai eu du succès et que mes livres se lisent et se traduisent. Le succès, pour moi, est d'être parvenu à vivre pleinement la liberté que j'avais désirée : liberté d'écrire et liberté d'être.

22

J'ai découvert le monde littéraire avec autant de curiosité qu'un navigateur débarquant sur une île inconnue. C'est un petit milieu plein de pittoresque, peuplé dans son immense majorité d'êtres intelligents, délicats et sensibles. Ils font en général bon accueil à l'étranger et d'autant plus qu'il vient de loin. Leur appétit les porte à désirer sans cesse consommer des chairs nouvelles, mais dont ils se dégoûtent vite. Autant leurs relations avec les nouveaux venus ou les gens d'autres continents professionnels sont cordiales, autant les haines qui les divisent sont profondes et violentes. L'écart est frappant entre la modestie des événements qui la causent et la vigueur de cette détestation. Un article désobligeant, un vote négatif dans un prix littéraire, voire, parfois, la simple adhésion à une école, un courant, un groupe d'auteurs que l'autre n'aime pas, et se crée pour des années une guerre entre deux personnes qui ne se sont peut-être jamais rencontrées. Tout étranger que je fusse, je n'échappai pas à l'obligation de me ranger dans une catégorie, donc de me rendre odieux à ceux qui n'en partagent pas les principes. Inclassable lors de mon apparition, je fus progressivement catalogué à partir d'informations rapportées du monde extérieur.

D'abord, en fouillant dans les coffres de mon passé, que j'avais transportés avec moi, on exhuma ma collaboration à deux cabinets ministériels et j'en recueillis à jamais la réputation d'être un homme de droite.

Ensuite, j'avais écrit, avec *L'Abyssin*, un livre qui se rattachait explicitement à Alexandre Dumas. Or cet auteur, après avoir été longtemps interdit de séjour au panthéon des lettres — et dans son sanctuaire mineur qu'est l'enseignement —, est désormais l'objet d'un culte nouveau, confié à la garde de deux ou trois spécialistes. Quiconque approche Dumas encourt leurs foudres. Pour les autres, qui se tiennent à l'écart de l'idole, Dumas reste un auteur toléré mais surtout un exemple à ne pas suivre. Il est le prototype de l'écrivain « dix-neuviémiste », terme péjoratif qui désigne un récit efficacement construit, écrit en français. Aucun écrivain raisonnable n'oserait, pour commencer sa carrière, franchir ce dangereux Rubicon. Que je l'aie fait avec ingénuité — et succès — fut considéré comme une preuve supplémentaire de mon inculture. J'étais médecin ; on ne pouvait pas m'en vouloir. Des sourires navrés et des haussements d'épaules accompagnèrent ce constat.

Ainsi ai-je acquis très tôt un statut particulier : on m'agresse peu, la presse « de droite » et les magazines grand public me soutiennent. La gauche sectaire m'ignore avec constance. Les journaux à vocation intellectuelle expriment leur sympathie par des portraits de moi, moyen utilisé pour éviter de critiquer les livres de ceux à qui on ne veut pas faire de mal mais dont on ne voudrait à aucun prix dire du bien.

Je me suis très rapidement accommodé de ce statut, qui ne manque pas d'avantages. Car la posture du « grandécrivain », pour paraphraser le livre de Dominique Noguez, n'est pas aussi enviable qu'on pourrait le croire et je suis heureux de ne pas devoir la prendre. Le « grandécrivain », adulé par le monde branché, est un personnage observé dont les moindres faits et gestes sont sujets à commentaires et polémique. Mon contemporain en écriture, Michel Houellebecq, a connu les grandeurs et les misères de cette idolâtrie. Il est plus confortable de rester discret et libre. L'intéressant, quand on écrit, est de pouvoir continuer à vivre. Car les livres, les vrais, se nourrissent de la vie.

En somme, je bénéficie d'une conjonction éminemment favorable entre le succès et la tranquillité. Le succès a été pour mes livres. La tranquillité, elle, est pour moi et m'a permis, pendant dix années de publication romanesque, de continuer à vivre intensément.

Une des premières choses dont il faut se convaincre, quand on écrit des romans, c'est que la faveur du public n'a pas de véritable rapport avec les décrets de la critique et les grandes locomotives de la mode intellectuelle. Les lecteurs sont peut-être les seuls consommateurs dont les choix ne sont pas entièrement dictés par les médias et la publicité. En parcourant le pays après le prix Goncourt, j'ai rencontré la France qui lit. Librairies, médiathèques, clubs de lecture, centres de documentation scolaire, il existe tout un réseau de propagation des livres. Son activité produit une véritable contreculture, défiante à l'égard de la télévision et de la presse, qui génère par elle-même le succès ou l'échec. Bien sûr, il existe des phénomènes d'entraînement, de mode, liés

à des crises d'hystérie de masse ou à des campagnes oné-
reuses de publicité. Pourtant, même pour des auteurs
dont il est de bon ton de dire qu'ils sont des « produits »
de la publicité, on trouve, à l'origine, un phénomène de
bouche-à-oreille spontané. Le succès d'un Marc Levy ou
d'un Bernard Werber, s'il est entretenu avec force communication payante, a d'abord trouvé sa source dans un
engouement spontané du public. Sans cette étincelle,
toutes les campagnes de publicité du monde sont inopé-
rantes. Or le soutien du public reste jusqu'ici un mystère. Comment l'acquiert-on ? Par la nouveauté ou en
reservant de vieilles recettes ? Par des livres courts ou
par de gros pavés ? Par des sujets proches des gens ou
par des thèmes novateurs et qui les font rêver ? Il n'y a
aucune solution, aucune martingale. Tout est possible.
La passion naît ou ne naît pas. On peut l'expliquer a
posteriori ; on ne peut la prévoir avec certitude.

Il est impossible d'affirmer que la critique ne joue
aucun rôle. Il y a de nombreux exemples de « coups de
cœur » qui obtiennent un grand succès public. Pourtant
l'inverse est également fréquent. On ne compte plus les
ouvrages encensés par la presse — surtout quand l'auteur
occupe une position de pouvoir dans le « milieu » — et
qui restent en piles dans les librairies.

Le seul pont qui relie les lecteurs au monde intellectuel et dont on puisse dire qu'il joue incontestablement
un rôle d'entraînement dans les phénomènes de ventes
est constitué par les prix littéraires. J'ignorais tout de ce
monde avant de recevoir ses suffrages. Là encore, j'ai
joué le rôle du Huron. Les yeux grands ouverts, j'ai
assisté comme un rêveur éveillé au grand ballet de la
rentrée d'automne, de ses combinaisons et de ses prix.

Le premier que j'aie reçu, pour lequel je garde une grande tendresse, fut le prix Méditerranée. Son jury est prestigieux : il compte plusieurs académiciens, des prix Goncourt, de grands journalistes, des auteurs admirables. Financé par la région Midi-Pyrénées, il est traditionnellement remis à Perpignan. Son annonce, cependant, est faite à Paris et un déjeuner est offert en l'honneur du candidat. Quand je l'ai reçu, c'était au club Interallié. J'y fis mon entrée passablement affolé, sortant de l'hôpital où j'avais repris du service et mon ingénuité fit merveille. Un des jurés se précipita sur moi en me disant combien il était heureux qu'on m'ait élu. Je savais de source sûre qu'il n'avait pas voté pour moi... Ambiance. Le déjeuner réunissait pour partie des monuments du monde littéraire (dont François Nourissier, à l'époque président de l'académie Goncourt) et des élus de la région emmenés par son président, mon confrère Jacques Blanc. Ainsi la conversation oscillait-elle entre des considérations élevées sur mon roman (« En vous lisant, j'ai pensé à Paul Féval ») et des commentaires plus politiques (« Je n'ai pas pu terminer votre livre à cause d'une réunion parlementaire. Alors, dites-moi, à la fin, il se la tape, ou pas ? »).

Deux ans plus tard, je reçus le prix Interallié pour *Les causes perdues.* Le déjeuner était chez Lasserre, cette fois. On arrive dans une foule où se mêlent journalistes, éditeurs et jurés. Puis, tout à coup, une cloison s'élève du plancher. Elle isole le lauréat et le jury dans une sorte d'alcôve où une table est dressée. Autour de la table, des hommes (c'est le dernier prix de rentrée, avec le Femina, qui refuse la mixité). Là encore siègent des monuments : Paul Guimard, Pierre Schoendorfer, Jean

Ferniot, pardon pour les autres... Cette fois, l'affaire était sérieuse. Seul face au jury qui me considérait d'un air sévère, j'attendais un mot d'accueil ou un verdict. Il tomba de la bouche de Jacques Duquesne : « Ici, m'annonça-t-il, il faut boire et chanter. En es-tu capable ? — Heu... Boire, ça ira... — Et chanter ? »

Je chante absolument faux et ne connais pratiquement aucun couplet par cœur, sans parler des mélodies que je ne retiens pas... Mais les regards étaient impitoyables. « Oui, bredouillai-je, ça ira aussi. Enfin je crois... »

Satisfait par ma capitulation, Duquesne entonna *Le P'tit Quinquin*, repris en chœur par les convives. Je passai tout le déjeuner à me remémorer les paroles du *Curé de Camaret*, que je confonds toujours avec *Père Dupanloup*. Finalement j'arrivai à rassembler un couplet.

Les filles de Camaret se disent toutes viêêêrges
Mais quand elles sont dans mon lit,
Elles préfèrent tenir mon vit,
Qu'un ciêêêrge...

Je m'attendais d'un moment à l'autre à faire mes débuts littéraires en braillant comme il convient ces vers admirables.

Hélas, ou heureusement, les deux ambitions de cette confrérie étaient contradictoires. Après avoir beaucoup bu, les convives avaient l'esprit un peu brouillé : ils ne chantaient plus que de petits airs pour eux-mêmes, en contemplant leur fond de verre avec mélancolie. Finalement, ils m'oublièrent.

Ainsi, je reçus le prix Interallié sans chanter. Ma carrière littéraire commençait par une imposture.

J'étais pourtant encore loin d'avoir tout vu. Une grande épreuve me restait à franchir : le Goncourt. Tel était, en tout cas, le sort qui m'était destiné. Car, quant à moi, j'étais loin de penser que je pourrais un jour mériter cette distinction et je n'ai rien entrepris pour l'obtenir. C'est d'ailleurs la meilleure façon d'avoir quelque chance de la recevoir.

Plusieurs fois, j'avais figuré sur les fameuses « listes » publiées depuis l'été et qui évoquaient pour moi les noms d'otages que les Allemands placardaient pendant la guerre. Chaque actualisation de la liste du Goncourt, émise à mesure que la date fatidique approchait, comportait les noms, de moins en moins nombreux, des survivants. Les autres, dans la nuit opaque des délibérations, avaient été froidement abattus. À ce jeu, les plus favorisés sont ceux que l'on fusille tout de suite. Le pire est de parvenir en finale et de passer à la trappe alors qu'on a souffert trois mois et que l'on entend déjà les vivats de la foule…

J'ai peine à croire que le Goncourt puisse briser un écrivain qui le reçoit. J'en connais au contraire plusieurs qui ont été gravement traumatisés de ne pas l'avoir eu. L'amertume qu'ils en conçoivent est un acide qui les attaque, à moins qu'ils ne sachent le diriger vers l'extérieur en devenant par exemple un de ces critiques littéraires que Philippe Sollers appelle plaisamment des « insulteurs professionnels ».

Le jury Goncourt est une assemblée très particulière. Pris individuellement, chacun de ses membres est respecté ; son œuvre est célébrée ; il — ou elle — est accueilli partout avec égard et amitié. Mais dès qu'ils sont réunis en Académie, on les traîne dans la boue. Les injures qu'ils reçoivent chaque automne seraient interdites — même par la loi — si elles s'adressaient à n'importe quel groupe humain pouvant prétendre au respect minimum. On les dit corrompus, pervers, paresseux et surtout vieux. Dans une société où un culte — au moins commercial — est rendu aux « seniors », il est rare d'entendre ou de lire des portraits tels que ceux qui sont faits du jury Goncourt tous les ans. Cénacle de gâteux, confrérie de mourants, asile pour ancêtres déments et tout juste continents, le concert d'invectives est assourdissant. J'ai donc été très étonné, lorsque j'ai rencontré les jurés qui m'avaient décerné le prix, de découvrir tout autre chose : des écrivains enthousiastes, infatigables défenseurs de la lecture, passant d'une conférence à une autre pour « servir » l'institution dont ils ont la charge. Edmonde Charles-Roux, Jorge Semprun, Michel Tournier n'ont pas d'âge. Ils ont une fraîcheur de contact, une capacité de travail, une ouverture aux autres qui les rendent à mes yeux plus jeunes que bien des jeunes-vieux qui crachent sur eux, par dépit sans doute de ne pas avoir leur talent. Quand des membres du jury sont malades et affaiblis, il me paraît vraiment malséant de les blesser davantage. S'ils restent en fonction, c'est qu'ils pensent être encore capables de l'assumer. La maladie a réduit leurs déplacements, mais elle n'ôte généralement rien à leur capacité de lecture, et leur donne même peut-être un surcroît de sagesse.

Chacun est en droit de préférer d'autres formules de prix littéraires : jurys tournants ou jurys de lecteurs par exemple. Mais c'est se bercer de beaucoup d'illusions

261

que de croire en l'existence d'une formule idéale. Le Goncourt garde sa place. Il continue de servir chaque automne de locomotive, non pas pour lui-même mais pour toute l'édition et même pour les autres prix. Sa capacité d'entraînement est unique dans le monde entier. Tous les livres qu'il couronne ne sont pas des succès commerciaux — même s'ils descendent rarement en dessous de cent mille exemplaires. Mais quand survient la conjonction précieuse entre le goût du public et le choix de ce jury, l'effet est explosif, inouï, et ne se compare à rien d'autre. Andreï Makine pour *Le testament français*, Erik Orsenna pour *L'exposition coloniale* ou Jonathan Littell avec *Les bienveillantes* en sont des exemples.

Mon destin fut de connaître, moi aussi, la joie de recevoir ce prix et l'honneur de toucher grâce à lui un public immense. *Rouge Brésil* écrit en trois mois de fièvre et de bonheur fut couronné contre toutes les règles proclamées par les petits malins (« jamais le prix deux ans de suite pour le même éditeur », etc.). Antoine Gallimard et Teresa Cremisi m'avaient sagement conseillé de prendre l'air avant la délibération. J'ai effectué une série de voyages et ne suis revenu en France que la veille du prix. La suite fut un tourbillon dont je ne suis ressorti qu'un an plus tard, après avoir sillonné le pays en tous sens.

Fondamentalement, le Goncourt n'a pas changé ma vie. Il m'a donné la possibilité de vivre de ma plume. Mais c'est une tentation à laquelle je n'ai pas cédé, car j'aime conserver une autre activité. Il m'a assuré un lectorat. Mais je me suis gardé de le cultiver comme un petit jardin en publiant toujours les mêmes livres, si bien que je ne sais plus aujourd'hui ce qu'il me reste du capital de départ. Il m'a installé dans le paysage de l'édition, mais n'a pas changé ma position dans le monde des lettres, où je reste un marginal.

Surtout, il ne m'a pas encombré d'une notoriété trop importante. Seuls me connaissent ceux qui ont lu mes livres et encore, beaucoup l'ont fait sans retenir mon nom. Il m'arrive de rencontrer des gens qui n'avaient jamais entendu parler de moi mais pour qui *Rouge Brésil*, *L'Abyssin* ou *Globalia* ont été des lectures marquantes. Cette dissociation me plaît beaucoup. J'aime que mes livres aient leur vie, distincte de la mienne. Quand je découvre un endroit où ils sont passés, j'ai l'impression d'être un père à qui est révélé un peu de la vie que ses enfants ont en dehors de lui. « Tiens, ils sont entrés ici, ils ont traîné sur cette table, près de ce lit. Et moi je n'y étais pas. J'étais ailleurs, libre, inconnu. Je parlais à des gens qui ignoraient ce que je fais et qui acceptaient d'autant mieux de me livrer leur vie qu'ils ne connaissaient pas la mienne. »

« Le plus beau point de vue est à mi-pente. » Quand je considère mon parcours dans les lettres, j'adhère sans réserve à cette phrase de Nietzsche. J'ai dépassé le niveau du sol, les marécages de la première publication, les brumes du doute et de la vocation. Mais je ne suis pas condamné à vivre dans les sommets où les hommes sont rares et l'atmosphère glacée. Je chemine à mi-pente et, à cette altitude, le monde littéraire est plein d'animation et de charme. J'ai noué de véritables et solides amitiés avec des éditeurs, des journalistes, des libraires et beaucoup d'auteurs.

Si l'on veut bien faire l'effort de ne jamais écouter ses blessures d'amour-propre, si l'on se laisse maltraiter ou encenser avec une rigoureuse indifférence, si l'on veut bien placer ses ambitions ailleurs et renoncer à la course aux avantages, aux positions et aux petits honneurs, alors, le milieu littéraire est un endroit merveilleux.

Je suis très heureux de le connaître et plus encore de ne pas lui appartenir.

23

Ainsi la médecine m'a conduit à l'écriture. Mais ce fut par le long détour de l'engagement humanitaire, des voyages et de l'action politique. La médecine en tant que telle n'a pas servi de base à mon travail romanesque. Aucun des malades que j'ai eu à traiter n'a inspiré, de près ou de loin, les personnages de mes livres. Je me suis gardé de mettre en scène ma pratique. Le roman a toujours été pour moi un espace d'évasion. Dans les cours de la Salpêtrière, j'imaginais des mousquetaires à cheval... Ils m'aidaient à supporter un quotidien qui m'apportait trop de frustrations et de souffrances. Quand j'écris, c'est pour m'élever vers ces mondes étincelants, purs, en un mot imaginaires, et non pour me couvrir du sang et des larmes dont j'ai reçu très tôt mon content...

À considérer la — longue — liste des médecins qui ont écrit, on reconnaît facilement deux catégories bien distinctes : les premiers ont mis en scène leur expérience, quel que soit le génie avec lequel ils l'ont transfigurée. Je pense évidemment à Céline, mais aussi à Boulgakov ou, près de nous, à Martin Winckler. Les autres, au contraire, ont émigré vers d'autres continents imaginaires ou réels, de Segalen à Georges Duhamel, de Littré à notre vénérable ancêtre, le grand Rabelais. De ceux-là, on dit qu'ils étaient *aussi* médecins et on a, en général, oublié ce qui apparaît presque comme un détail de leur vie. Je me sens plus proche de cette seconde catégorie.

Est-ce à dire, pour autant, que la médecine peut être un élément neutre dans une œuvre ? Est-elle capable de s'effacer jusqu'à ne jouer aucun rôle ; n'est-elle, selon l'expression de François Nourissier, qu'un caillou dans la chaussure dont les écrivains médecins auraient eu à se débarrasser pour pouvoir courir librement dans les prés de leur imagination ? Je ne le pense pas. Même absente en apparence, la médecine influence l'œuvre de fiction de diverses manières.

La médecine et l'écriture romanesque sont d'abord toutes les deux des arts du regard. Parmi les métiers contemporains, il en existe peu qui contraignent — et enseignent — à regarder les autres. Le médecin, lui, est dressé à l'observation. « Observation » : c'est ainsi que s'intitule le relevé des constatations tirées de l'examen d'un patient. Comme le chasseur, le médecin épie sa proie — le malade —, note ses habitudes, ses goûts, ses craintes et ses désirs. Le romancier aussi doit avoir vu pour donner à voir. Il rend ses personnages vivants en les restituant non seulement dans leur apparence, mais dans leurs déplacements, leurs mimiques, leurs appétits. La rupture des habitudes, pour le médecin, s'appelle la maladie ; pour le romancier, elle s'appelle l'aventure, source de l'intrigue.

Reste que, cependant, le regard médical et le regard romanesque sont profondément différents. Je crois même qu'ils sont exactement opposés et, de ce fait, complémentaires.

Lorsqu'il observe, le clinicien dépouille la réalité de ses détails superflus pour en arriver à ne nommer que l'essentiel : le symptôme, le syndrome, la pathologie.

Exemple : Monsieur B. raconte que la semaine dernière, à six heures quinze, alors qu'il venait de terminer son petit déjeuner — du café au lait et une tartine beurrée —, il a descendu le chien, une vieille épagneule boiteuse qu'il a recueillie après la mort de sa belle-mère. Il faisait beau, après ces trois jours de pluie. Le ciel était tout pur à l'est, du côté de la gare d'Austerlitz, mais un petit vent glacé l'a obligé à forcer le pas le long du Jardin des Plantes. Soudain, il a ressenti une douleur dans la poitrine. Était-ce bien une douleur ? Il se le demande. Il aurait dit plutôt un serrement, un poids, une de ces sensations qui viennent en général après avoir reçu un coup. Il n'a pas l'habitude de s'écouter, Monsieur B. Et de toute façon, la chienne continuait de tirer pour aller renifler les bonnes odeurs du matin, au pied des platanes. Il a fait le geste de se tenir le côté et il est formel : en massant un peu le creux, sous son aisselle gauche, il a atténué la gêne. Elle se prolongeait un peu dans le haut du bras, comme s'il avait pris une mauvaise position en dormant. Quand il est rentré, il avait le vent dans le dos et ça allait mieux. Ce qui lui laisse penser que c'était sûrement un coup de froid. D'ailleurs, il tient à le mentionner, il a fait un point de pleurésie quand il était à l'armée. C'était en Algérie, dans les Aurès, et contrairement à ce qu'on croit, il fait très froid, là-bas.

Avec ses vingt ans et robuste comme il était alors, il s'était tout de même retrouvé à l'hôpital Bégin. Bizarre, d'ailleurs, mais, maintenant qu'il y pense, il ne se souvient pas très bien de quel côté était ce point de pleurésie. En tout cas, la semaine dernière, ça se passait à gauche. Depuis, tout va bien, et si sa femme n'avait pas insisté pour qu'il consulte, il serait resté chez lui... etc., etc.

Pendant que Monsieur B. se noie ainsi dans les détails, vous, triste médecin, notez seulement ceci :

— Douleur thoracique aiguë à l'effort (marche, vent froid).

— Survenue matinale.

— Irradiation dans le bras gauche.

— Spontanément régressive.

— Premier accès. Pas de récidive.

Évacués la chienne, la belle-mère, le Jardin des Plantes, le soleil du matin, l'air pur après trois jours de pluie, le massage de l'aisselle, le service militaire dans les Aurès. Monsieur B. n'existe plus. Il est devenu : « un homme de soixante-deux ans avec un tableau d'angor d'effort ». Son destin s'appelle électrocardiogramme, enzymes cardiaques, scanner thoracique avec injection, dilatation des coronaires...

Vous venez, à la fois, de lui sauver la vie et de le soustraire à l'existence des vivants. Pour vous, il est un cas, un corps, un patient. Brièvement frôlée, son existence réelle s'est éloignée de vous aussitôt. Après tout, c'est bien normal : votre rôle est de préserver sa vie et non de vous en emparer.

Je n'ai jamais ressenti cette extériorité aussi fortement que lorsque j'exerçais en psychiatrie. Je suis diplômé de cette spécialité pour y avoir exercé les fonctions de chef de clinique. Mais je me sens très peu psychiatre et, quand j'ai été amené à pratiquer cette discipline, ce fut dans le cadre d'un hôpital général (Saint-Antoine à Paris). Je recevais beaucoup de cas aigus et de pathologies intégrées, mêlant troubles de la conscience ou du comportement et maladies somatiques : intoxications médicamenteuses, dysfonctionnements thyroïdiens à expression psychiatrique, maladies neurologiques révélées par des troubles du comportement, etc.

Mon rôle était de ramener ces manifestations psychiatriques aiguës à leur origine, le plus souvent physique, et d'appliquer un traitement vigoureux permettant de parvenir à une disparition rapide des troubles. Je me situais ainsi au cœur de l'illusion situationniste : en agissant sur la sombre mécanique d'une thyroïde défaillante ou d'un noyau cérébral déréglé, j'obtenais des effets sur ces élaborations complexes que sont les affects, la perception du réel, l'estime de soi. De nombreux psychologues, employés dans le service, écoutaient les patients et insistaient, à juste titre, sur la subtilité de leur réalité psychologique, sur la nécessité de replacer leurs troubles dans une histoire individuelle, une personnalité, une relation familiale. À côté d'eux, armé de mes neuroleptiques et de mes antidépresseurs comme un blouson noir peut l'être d'une chaîne de vélo ou d'une batte de base-ball, je faisais figure de cogneur primitif et je n'en étais pas fier.

Ce n'était pas le médecin en moi qui souffrait. Car j'étais sincèrement convaincu de faire ce que l'on attendait de ma fonction — les malades au premier chef. La raison d'être de leur présence dans ce lieu était d'être soulagés, et le plus vite possible.

Celui qui vivait le plus durement cette expérience, c'était le romancier. Car, en me soumettant à la discipline du diagnostic, je me privais de la vie même, pour ne retenir que sa carcasse de chair, de neurones et d'os.

Certains médecins écrivains sont capables de conserver, enfouie dans leur mémoire, toute la richesse humaine de leurs patients, dont ils n'ont pas eu l'emploi pour établir leur diagnostic. Leurs œuvres peuvent ainsi refaire l'unité en eux-mêmes et restituer, par la fiction, la part de leur expérience que la médecine a occultée. En ce qui me concerne, je n'ai pas cette faculté. Il ne m'a jamais été possible d'exercer sur les mêmes sujets regard médical et regard littéraire. Le clivage est total pour moi. Sur les malades, je pratique une observation professionnelle, passant tout le reste en eux par pertes sans profit. La matière humaine dont j'ai besoin pour mes romans, je l'ai trouvée ailleurs et autrement. Elle procède de rencontres souvent fortuites, jamais médicales, pendant lesquelles, avec l'acuité d'un véritable examen mais pratiqué sans objectif ni méthode, parfois d'un seul coup d'œil, intense et bref, j'ai cherché à saisir ce qui, dans un être, pouvait m'attirer, avec toute la rigueur que l'on met au diagnostic mais sans en emprunter ni les voies ni les buts.

Je me souviens par exemple de cette petite fille, en face de laquelle je me trouvais dans l'autobus pendant que je commençais d'écrire *Rouge Brésil*. Elle avait un regard bizarre et je ne comprenais pas ce qui le rendait singulier. Et puis, soudain, j'ai vu : elle avait les cils d'un blond si clair qu'ils paraissaient blancs. J'en ai fait le signe distinctif de mon héroïne, Colombe, que les Indiens avaient surnommée œil-soleil parce que, au contraire du ciel, ses yeux figuraient un astre qui enfermait un cercle d'azur. Aucun malade, jamais, ne m'a fourni semblable idée. Leurs dossiers restent, quelque part, dans les archives de l'Assistance publique. En moi, ils sont ensevelis dans une fosse commune où je ne discerne aucun détail ; un endroit mort, sacré, intouchable, duquel je n'aurais jamais l'idée de m'approcher pour extraire le minerai de mes fictions.

Sans doute faut-il voir là un des effets du texte que j'ai bredouillé à la hâte, au terme de ma soutenance de thèse, et qui pourtant a marqué toute ma vie : le serment d'Hippocrate. « Je ne révélerai jamais ce qu'il m'aura été donné de voir, lorsqu'on m'aura admis à pénétrer dans les maisons »…

Tous mes confrères n'ont pas interprété de la même manière cet engagement solennel puisque certains se sont autorisés à faire le récit de leur expérience professionnelle. Sur moi, il a opéré une glaciation de la mémoire, gelant sélectivement tous les souvenirs tirés de mon activité médicale. Cet interdit s'est d'ailleurs porté plus loin : il m'empêcherait, si j'en avais l'envie, de me livrer à l'exercice à la mode de l'autofiction. Raconter ce qui m'est arrivé directement m'est absolument impossible. J'ai besoin de faire digérer l'expérience, de la plonger dans le bain vertueux de l'oubli, de l'y laisser mûrir et de la recueillir, longtemps après, lorsque, gonflée d'autres apports, presque méconnaissable, elle affleure de nouveau à la surface de la conscience.

Cette opération n'est qu'une des modalités d'un processus plus général, préalable pour moi à la création, qui consiste en une prise de distance.

Comme le peintre, j'ai besoin de définir le bon écart entre mon sujet et ce support qu'est le récit. Trop près, je vois flou. Trop loin, je ne perçois plus les détails. Il faut trouver la bonne mesure. Ce fut une des tâches les plus délicates lorsque j'entrepris d'écrire mes premiers romans. J'ai beaucoup tâtonné et quand, enfin, m'est apparue une solution, je fus troublé de constater qu'une autre se présenta dans le même temps à mon esprit.

C'était pendant la rédaction du livre *Les causes perdues*. J'avais fait beaucoup de tentatives de narration (à la première personne, avec des points de vue différents, avec un narrateur impersonnel...). Aucune ne me donnait satisfaction. Un jour, je rencontrai sur ma route Hilarion, le vieil Arménien d'Afrique. Il était exactement à la bonne place. Suffisamment près de moi pour que je puisse entrer dans sa peau, suffisamment loin pour neutraliser mes souvenirs et lever l'interdit névrotique du serment d'Hippocrate. À égale distance de l'Afrique et de l'Europe, Hilarion, être frontière, passeur d'émotions, permettait à mon récit de revenir au présent par le détour d'un passé. Il préservait les détails, mais délivrait du flou de l'immédiateté.

Ayant à peine achevé ce livre, j'en commençai un autre, *L'Abyssin*, sur un principe tout différent et non moins efficace. La distance, cette fois, venait du temps.

L'Abyssin racontait une histoire que j'aurais pu vivre. Le voyage de Jean-Baptiste Poncet jusqu'en Éthiopie présentait de grandes similitudes avec celui qui m'avait amené la première fois jusque dans le pays du prêtre

Jean et ses hauts plateaux. Poncet, pharmacien comme j'étais médecin, diplomate d'occasion, observateur auquel son manque de préjugés et donc de jugement devait causer bien des malheurs, avait tout pour m'être sympathique. En somme, il m'était facile de penser : « Poncet, c'est moi. »

Mais heureusement, les trois siècles qui séparaient son existence de la mienne restituaient l'indispensable éloignement et créaient les conditions pour que je puisse me livrer à ces souvenirs en toute liberté. Par exemple, j'avais travaillé au Brésil sous les ordres d'un consul avec lequel les relations n'avaient pas toujours été faciles. Il ne m'aurait pourtant pas été possible de dire du mal de cet homme qui pouvait me lire et que je n'aurais pas voulu blesser. Mais, lorsqu'en écrivant *L'Abyssin*, fondé sur une histoire authentique, je découvris l'existence d'un consul au Caire à la fin du XVIIᵉ siècle, un certain M. De Maillet, je n'hésitai pas, dans ma description de ce personnage, à laisser déborder l'amertume qu'avait fait bouillir en moi mon ancien supérieur hiérarchique. C'est ainsi que l'écart des siècles peut donner carrière à l'immédiateté du sentiment et, parfois, du ressentiment.

Depuis que j'ai appris le bon usage de la distance, l'écriture romanesque est devenue un outil et un besoin. La fiction est un mode d'expression qui s'offre à moi comme un collecteur naturel d'expériences et de sensations. Tout est matière à nourrir ma production romanesque par un processus d'enfouissement et de résurgence, d'oubli et de remémoration. Je n'éprouve plus cette tension douloureuse qui, autrefois, me donnait, quand j'écrivais, l'impression de ne pas vivre et quand je vivais de négliger l'écriture. En somme, je suis capable de perdre mon temps. Je sais que ce temps perdu rejaillira quand il sera convoqué par l'imaginaire. Il prendra une réalité dans des fictions à venir. Il trouvera sa vérité dans le mensonge d'une intrigue.

Cette harmonie comporte cependant une exigence : il faut continuer à vivre intensément. Faire de l'écriture un métier est un rêve pour beaucoup : pour moi, il est le cauchemar suprême. Du jour où je cesserai d'avoir une vie d'action, mon écriture se tarira, puisqu'elle en est la source.

Je dois donc veiller à préserver un fragile équilibre : agir et conserver le loisir d'écrire. Les deux peuvent se faire simultanément. Il est plus facile d'alterner et je préfère partager mon temps entre des périodes d'intense extraversion et d'autres exclusivement consacrées à la création.

Après le Goncourt et au terme de l'année que j'avais consacrée à « servir ce prix » en faisant le tour de France, comme un honnête compagnon des lettres, j'avais pensé reprendre une activité médicale. La difficulté, dès que l'on accepte une responsabilité clinique, est de ne pas être totalement accaparé par les malades, incapable de conserver le moindre quant-à-soi face à la souffrance.

Providentiellement, je reçus à cette époque une autre proposition. Action contre la faim, une des plus grandes ONG humanitaires françaises (l'ancienne AICF de mes débuts), avec laquelle j'ai toujours eu d'excellentes relations, traversait une crise grave après la démission spectaculaire de sa présidente. À l'époque de mes vaches maigres, au retour du Brésil, j'avais postulé pour la direction de cette association. L'aréopage des fondateurs m'avait auditionné, pour finalement rejeter ma candidature avec hauteur. Dix ans plus tard, les « historiques » étaient presque tous partis et ce qu'il restait de l'équipage, désemparé, en pleine tempête, venait me chercher pour faire de moi son capitaine. J'étais heureux que la vie m'offre cette petite revanche et j'acceptai l'offre. Suivirent trois années extraordinaires, en tandem avec un nouveau directeur, Benoît Miribel, rugbyman efficace et homme habile à mener les hommes. Une organisation humanitaire est probablement l'institution la plus passionnante et la plus difficile à diriger. Héritée des premiers âges de leur fondation, les ONG sont marquées par une grande familiarité de manières. Un visiteur non averti pourrait se croire dans une entreprise en liquidation, cogérée par ses salariés. En réalité, les hiérarchies sont bien là, la pression de travail très forte et le rôle du chef indispensable. Je connais à vrai dire peu de groupes humains capables de se livrer aussi complètement à une autorité. Les présidents des grandes ONG françaises dépassent en longévité l'immense majorité des patrons français. C'est qu'à la différence des entreprises, les ONG n'ont pas de conseil d'administration indépendant. Leur assemblée générale regroupe quelques centaines d'adhérents au statut hétéroclite : sympathisants, anciens volontaires de terrain et même, pour certaines comme ACF, salariés du siège parisien. Un apparatchik habile peut noyauter un tel système, y tuer toute opposition et envisager une carrière que n'aurait pas dédaignée Kim Il-sung ou Enver Hodja.

En ce qui me concernait, je n'avais pas l'ambition de devenir « camarade-président » à vie. Je m'étais fixé trois ans et je m'y tins. Pendant ces années, j'eus à manier la barre d'un gros navire (cent cinquante personnes au siège à Paris, quatre cents expatriés dans les endroits les plus dangereux du monde, cinq mille employés nationaux rendant, par leur compétence et leur courage, les missions possibles dans les situations les plus extrêmes). Pour la première fois, il me fallut endosser la responsabilité complète d'un groupe dont la vocation est de porter secours à des populations en détresse aux quatre coins d'une planète dangereuse.

Je n'ai pas eu l'enfance d'un chef. Le pouvoir n'a jamais été pour moi une ambition ni une nécessité. Pourtant, quand il m'a été donné de l'exercer, j'y ai pris un vif plaisir. La médecine m'a formé à écouter, à mettre les autres à l'aise, à leur faire accepter mes traitements. Ce qui vaut dans le colloque singulier du cabinet continue d'être valable dans le dialogue qu'un responsable noue avec ceux qu'il dirige. Quant à l'imaginaire, que mes années d'écriture ont développé, il est la source même de l'autorité. Les moyens minuscules et méprisables que sont le contrôle de l'information, l'entretien de rivalités, les paroles brutales et les ordres sans appel, sont les paravents de la faiblesse et non les signes du véritable pouvoir. Un groupe attend de son chef qu'il marche en tête (d'où son nom), qu'il éclaire la route, qu'il sache où il veut conduire sa troupe. Dans un monde incertain, et Dieu sait si l'humanitaire en est un, on ne dispose ni de cartes ni de boussole. Diriger, c'est imaginer. L'auteur, perdu dans une intrigue au fond de laquelle il s'est jeté lui-même, doit découvrir une issue et tirer le lecteur avec lui. Ce qui vaut dans la solitude de l'écriture reste utile dans l'agitation bruyante de l'action collective.

Tsunami, Afghanistan, Darfour, les récifs n'ont pas manqué, contre lesquels nous eûmes autant d'occasions de nous écraser. Car il y a bien des manières, pour une grande organisation humanitaire, de rencontrer l'échec. Arriver trop tard, ne pas prendre la mesure de l'urgence, au contraire surdimensionner sa réponse, méconnaître les dangers et envoyer ses équipes à la mort, alarmer l'opinion à l'excès ou, à l'inverse, se rendre complice d'un génocide par son silence, les pièges de l'humanitaire sont nombreux. J'avais été l'un des premiers à les dénoncer — dans *Le piège humanitaire*. Prendre soi-même la décision de l'action est autrement difficile. On ne dispose plus de la confortable position du critique, doublement protégé par son irresponsabilité et le recul temporel.

L'action en temps réel est entourée d'une brume qui brouille la vue, donne aux choses les plus banales des allures menaçantes et dissimule l'approche des véritables dangers. Penser *après*, c'est disposer de *toute* l'information. Agir, c'est penser sans autres certitudes que celles qu'on se forge soi-même par la puissance de ses hypothèses. Ce pilotage sans visibilité est à haut risque.

Quotidiennement, dans l'humanitaire, on constate la difficulté de nommer les situations historiques. Ce qui se déroule devant nous, les convulsions des peuples, ces événements qui, par la suite, portent un nom et le conservent à jamais dans l'Histoire (guerre, révolution, famine...) se présentent à l'observateur direct sous des formes partielles et déroutantes. Fabrice, à Waterloo, ne voit que des cavalcades désordonnées, des détachements égarés et une cantinière qui le prend en pitié. Bien après, et parce qu'on le lui dira, il comprendra qu'il a vécu une immense bataille, le moment où a été abattu l'aigle napoléonien, une date majeure dans l'histoire de l'Europe et du monde. De même, le volontaire d'une organisation humanitaire aborde les événements avec toute l'incertitude de l'inachevé. Il doit apprendre à se repérer dans la géographie très particulière des temps bouleversés. La guerre, par exemple. Chacun s'en fait une image spécifique mais, dans l'ensemble, l'imaginaire collectif s'attend, lorsqu'on parle de guerre, à rencontrer Verdun ou Pearl Harbor. Or les conflits d'aujourd'hui sont partiels, hétérogènes, surprenants par la manière dont ils infiltrent la vie normale et, la plupart du temps, la respectent.

Dans les Balkans, aux pires moments de la guerre en Bosnie, de nombreux convois d'aide humanitaire ont fait les frais de cette réalité en trompe l'œil. Au volant de leurs camions transformés à la hâte en véhicules de secours, des personnes venues de toute l'Europe, pleines de bonne volonté mais ignorantes de la situation, se sont avancées jusqu'au cœur des zones de combat sans se rendre compte du danger. Aucun panneau indicateur n'était dressé sur leur route pour annoncer : « Ici commence la guerre. » Ils roulaient sur de petits chemins de campagne, colorés et tranquilles. Or, le calme, en réalité, est un des grands signes de la guerre. Il indique une suspension de la vie normale et laisse craindre que, dissimulés quelque part, des guetteurs ne vous épient et ne vous tuent. Le calme est un des visages du danger.

Mais pour ceux qui ne sont pas familiers de ces convulsions, le calme signifie la paix. Il leur donne confiance. Combien de blessés, combien d'otages avons-nous déplorés pendant ces guerres balkaniques, victimes de leur naïf abandon à ce qu'ils prenaient pour un bonheur tranquille, quand il s'agissait au contraire de l'affût silencieux de cette bête de proie qu'est la guerre.

J'ai déjà eu l'occasion de raconter comment la révolution aux Philippines m'était apparue presque par hasard, dans une pizzeria, alors que je me trouvais dans la ville même où elle se déroulait. Cette subjectivité permet de comprendre pourquoi des réalités semblables peuvent susciter des interprétations différentes, voire contradictoires.

Au Niger, en 2005, une crise alimentaire grave entraîna une véritable épidémie de malnutrition extrême. La presse s'en est emparée et, par la nature même des reportages photographiques et télévisés, a donné l'impression qu'un peuple entier était en train de mourir de faim. Pourtant, derrière cette apparente évidence médiatique, une intense controverse humanitaire faisait rage. S'agissait-il d'une famine, comme le prétendait Médecins sans frontières ou était-on en présence de « poches » de malnutrition aiguë, comme l'affirmaient les Espagnols d'Action contre la faim présents depuis longtemps sur le terrain ? On dira que cela n'a pas d'importance : il fallait secourir ces malheureux et voilà tout. En réalité, il est plus important qu'on ne le croit de *qualifier* une crise. Car, au-delà de la phase aiguë, c'est tout l'avenir d'un pays qui est en jeu. Une famine, schématiquement, est le signe d'un déficit agricole majeur, d'un défaut de production, d'un déséquilibre entre la population et les terres qui la nourrissent. Les mesures à prendre concernent le monde rural et ses capacités de production. Si, au contraire, comme l'affirmaient les

Espagnols, on avait affaire non pas à un manque absolu de nourriture mais à des déséquilibres de prix liés à une spéculation intense, c'était surtout la *répartition* des ressources qu'il fallait améliorer et les circuits de commercialisation que l'on devait tenter d'assainir.

Cette explication est sommaire car les processus de famine sont plus complexes. Je veux seulement indiquer que, là encore, nommer c'est agir. Un an après les faits, en général, tout est clair. En temps réel, on avance dans le brouillard.

Cette expérience de l'action est un grand atout pour le romancier. Car raconter une histoire, c'est plonger le lecteur dans l'incertitude du moment présent, c'est restituer les choix de ses héros, dans l'ignorance où ils sont de ce qu'ils vont devenir. L'auteur n'est pas naturellement placé dans cette situation. Quand il raconte une histoire, il en connaît généralement la fin, puisque, souvent, c'est lui qui l'a déterminée. Grande est la tentation de conférer aux personnages la même clairvoyance. Ce faisant, on les juge. On est sévère avec leurs erreurs, on leur ôte toute excuse à se tromper. Avoir vécu l'ambiguïté du présent permet de traiter ses héros avec une tendresse, une bienveillance qui procède de ce que l'on a, avec eux, l'humanité en partage. Nous cheminons dans nos vies comme des aveugles. Le romancier ne doit jamais l'oublier.

C'est particulièrement important lorsque, comme je l'ai fait, on choisit de raconter des histoires où les héros vivent une aventure personnelle sans cesse confrontée, en arrière-plan, à la grande histoire de leur époque. Cet aller-retour entre l'infiniment petit de la vie intime et l'infiniment grand des événements collectifs constitue pour moi le défi du romanesque. Flaubert identifiait cet équilibre entre les deux plans comme l'exercice le plus difficile à réussir. Ceux qui y sont parvenus ont écrit, pour moi, les plus grands romans.

Quand j'ai commencé à écrire, mis à part cette ambition de suivre l'exemple de ces œuvres amples, je n'avais aucune idée préconçue. La notion de genre (historique, policier, sentimental, picaresque) m'importait peu. Je ne savais même pas précisément quels sujets je voulais aborder. Mon seul guide était l'envie de raconter une histoire et le plaisir de m'y consacrer. C'est seulement avec le temps et la multiplication de mes livres que j'ai pris conscience de lignes de force invisibles qui me ramènent toujours vers le même sujet. Qu'ils se situent dans le passé (*L'Abyssin*, *Rouge Brésil*), le présent (*La salamandre*, *Le parfum d'Adam*) ou l'avenir (*Globalia*), mes romans rôdent tous sur la frontière qui sépare le monde « développé » et les pays que nous reconnaissons comme un ailleurs. Traversée des mondes, rencontre des civilisations, prise de conscience de ce que l'on est à travers la découverte de l'autre, je me situe toujours sur cette ligne de démarcation entre Nord et Sud dont ma région natale gardait encore la trace, quoiqu'elle ait disparu après la guerre. « Passer la ligne », « se rendre en zone libre » sont des expressions que j'ai entendues pendant toute mon enfance. Elles renvoyaient à l'époque de la Résistance quand mon grand-père avait offert sa maison à un réseau pour y cacher des aviateurs, des agents de Londres, des Juifs fuyant les rafles. Des passeurs, la nuit, venaient chercher les candidats à l'évasion et leur faisaient traverser la fameuse « ligne ». Il n'y a plus trace, aujourd'hui, dans les champs qu'elle coupait, de cette limite presque virtuelle et pourtant dangereuse. Peutêtre est-ce la raison pour laquelle je suis allé la chercher plus loin, là où elle se trouve maintenant. De ma fenêtre à Dakar, pendant que j'écris ces lignes, je vois passer de banales pirogues de pêcheurs. Ce sont les mêmes qui, de nuit, quittent ces côtes chargées d'émigrants lancés vers les Canaries et candidats au passage de la ligne invisible et dont pourtant dépendent leurs vies : celle qui sépare l'Europe de l'Afrique.

Après trois années à la tête d'Action contre la faim, j'ai décidé de prendre du champ, de me consacrer à l'écriture, de mener une vie paisible. Il faut croire que cette ambition n'était pas à ma portée. À peine avais-je organisé cette existence studieuse et pris des dispositions pour commencer méthodiquement un nouveau livre, je reçus un appel de Bernard Kouchner me proposant d'être ambassadeur au Sénégal. Pourquoi avoir accepté, sinon pour retendre à nouveau ce ressort douloureux qui me place entre l'action et la création, décuple mon désir d'écrire en m'en ôtant le loisir ? Pourquoi avoir pris cette charge lourde (la troisième ambassade française dans le monde par la taille), sinon parce que c'est une tâche difficile, à un moment crucial des relations entre l'Afrique et la France ? Je suis plus que jamais posté sur cette frontière invisible entre les mondes. Je subis l'immense poussée contradictoire de ceux qui veulent la franchir au moment où elle se renforce, se hérisse de limites et de conditions. Camper sur cette frontière et en apparaître comme le gardien est sans doute aujourd'hui une des positions les plus exposées qui soient. On est bien aise de disserter sur les flux migratoires, les sans-papiers ou la lutte contre l'immigration clandestine lorsque l'on est assis tranquillement dans un salon à Paris. Je subis, moi, l'inconfort d'être au front, sur le lieu où s'exercent directement les forces contraires, où se jouent les drames, où ils prennent une forme humaine. Mais j'en suis fier et j'en suis heureux. Il est bien tôt pour dire ce qui en naîtra. Je vis ici trop d'émotions, je vois trop de paysages et de portraits, pour que n'en sorte pas un jour, par le détour du temps et de l'oubli, de nouveaux livres et de nouveaux rêves.

*

Jamais je n'ai été si peu médecin qu'aujourd'hui. Et pourtant, jamais je n'ai été plus proche de la vocation qui m'a fait choisir ce métier.

Certes, je ne pratique plus actuellement la médecine clinique ; je ne palpe pas de ventres, je n'écoute pas de poumons, je ne rédige pas d'ordonnances. Mais mon projet, en embrassant la carrière médicale, n'était pas seulement de faire l'usage d'un stéthoscope… La volonté d'engagement, l'humanisme en acte, l'ancrage litté-raire, tous ces idéaux étaient pour moi au principe de l'activité mystérieuse dont je suis témoin depuis l'enfance et qu'on appelle la médecine. Tout cela, je l'ai rejoint par le détour d'une carrière qui, en cheminant sur les marges, m'a finalement conduit jusqu'où je vou-lais secrètement aller.

L'idée d'un « au-delà » m'est étrangère car je ne suis pas croyant. Mais si je n'y songe guère comme à une pos-sibilité future, ouverte après la mort, en revanche je crois fermement à un au-delà dans le présent, un domaine situé non pas après la vie mais derrière elle. Qu'on l'appelle le rêve, l'imaginaire, la création, il existe et je le fréquente assidûment.

Il n'est pas impossible après tout que, dans ces Champs Élysées où chemine l'âme des morts, je rencontre un jour mon grand-père. Aujourd'hui, je sais que je pourrai l'aborder sans crainte. J'irai l'embrasser, timidement car il m'impressionne toujours. Je serrerai ses longues mains qui, l'hiver, devenaient blanches et douloureuses comme les miennes sous le gel, et je lui dirai sans faillir : « Tu sais, je t'ai suivi. »

Et ma voix ne tremblera pas quand j'ajouterai, pour qu'il me comprenne bien, ces mots dont j'ai longtemps rêvé :

« Moi aussi, je suis médecin. »